ちくま文庫

整体入門

野口晴哉

筑摩書房

◎目次

第三章　外路系の訓練　35

第四章 体癖さまざま

第五章 整体体操と体癖修正 107

第六章 体癖と生活 147

整体入門

第一章　「気」による体力発揮

火事で出た体力

昔の蓄音機はホーンを内蔵しているため、大きく、また重く、その中でもビクターのクレデンザという機械はとうてい一人で動かすことができません。八、九十キロはあるのですが、ステレオ時代に反抗して、その旧式蓄音機を、いちいち竹針を切って使って愛用していた人がおりました。これを失ったら二度と入手できない。金さえ積めばいくら良いものでも入手できるステレオなどは興味がないといっておりました。

その男の隣家が火事になりました。あわてたその人は、一人でクレデンザをかかえて庭へ運び出しました。幸い火事は終わったので、家の中に持ち込もうとしましたら、一人で運び出したその蓄音機が、いくら力を入れてもビクともしません。三人がかりでやっと家の中へ運んだそうです。どう考えても一人で持ち出せるようなものではない。どうして持ち出したか自分でもわからない。第一、自分にそんな腕力があるわけはないとその人は語りました。

しかし、事実一人で運び出したのですから、そんな力が無かったとはいえません、そういう力があるのに、平素発揮しないまま暮らしていたと申すべきです。その人は火事の時には非常力が出るというが本当だナ、と申しておりましたが、それは言いわけで、平素でもそういう力は持っていたのです。それを使わないで暮らしていたのです。本当に無い力なら非常の時でも出るわけがありません。

人間は平素の生活ではとり出せない力を持っております。平素は意識の枠内で生活しておりますので取り出せませんが、何かの理由で体の中に勢いが出てくると発揮されます。ある青年技師が新潟地震のあと、かの地へ派遣されました。その下宿先のおばあさんは腰が曲がり、畳をなめるような格好をしていて、その動作は遅くノロノロし、めしの支度をするのでも見てはおれない。ごはんをよそってくれるのだが、それを待っているうちに、また空腹になってしまうほど遅い。ノンビリしているとは聞いていたが、こう動作が遅いのではイライラさせられる、困ったことだと思っておりました。

ところがある夜、地震がありました。寝ていたのだそうですが、そこへノロノロばあさんが「地震ですよ、お逃げなさい、早く」と声をかけ、アッと思う間にいなくなってしまった。その速いこと、パッと消えたようだったとのこと。昼間の動作からはとうてい想像もつかない速さだったそうです。それから外へ出ますと、そのおばあさんが「大事なものは持って来ましたか」と声をかけ、位牌と貯金通帳を見せたそうです。

それ以来、そのおばあさんを見ると不思議でしょうがない。あんなに素早く動けるのに、こんなにノロノロして、とそのあとの手紙の中では、「狸婆さんが曰く云々」と記すようになりました。その手紙を読んで、クレデンザを持ち出したのは狸爺だナと思いました。

狸に限らず、防衛庁長官をしたこともある人が、脳溢血のあとの半身不随で寝ていたのに、近所に落ちた爆弾の音にビックリして、起き上がって逃げてしまった。以来、半身不随ではなくなったとのことです。

体力を喚《よ》び起こすのは「勢い」である

こういう非常の時でなくとも、こうすれば儲《もう》かると思うと、水の冷たさも風の寒さも気にしないで、せっせと夜も寝ずに働いたとか、炬燵《こたつ》の中で寒がっていた子供が、凧をもらったとたんに寒い風の吹く中へ飛び出して元気よく遊んだとか、チップをもらったら急に荷物が軽くなったとか、事務所では眠かったが麻雀《マージャン》をしだしたら徹夜してしまったとか、平素でも体の裡《うち》に勢いが出るような条件が出てくれば、できそうもないことをやってしまう。ゴルフでも将棋でも、賭けるとたんに強くなったとか、夜食のビフテキとビールを想像したら、がぜん疲れが抜けてしまったとか、非常時でなくとも、そういう力の出ることはたくさんあります。非常時でなければそういう力が出ないと思うことは間違いです。

ことに病気になった時など、他人の知識や後援をあてにして、こういう力を発揮しないで不平ばかりいっているようなことはおかしい。持っている自分の力を自覚しないで助けを求め、自分の体のことは、自分の力を発揮して処すべきことだと思わず、自分の大便を他人に気張ってもらって出すつもりでいるから、体の中に勢いが起こらない。痛いとか何とか、周囲の同情を求めるようにその声を使ってしまうから、自分の体の中の勢いにならない。だから、こういう力を喚《よ》び起こせない。体力がないようなことをいうが、そうではない。頼ることやすがることばかり考え、他人の力をあてにしているから、自分の力が働かないのである。持っている力が潜在したままで役に立たない。も少し困れば力が出せるかもしれないのに、庇《かば》ったり、守ったり、力を貸すことしか考えない周囲の人は、他人の排便を気張っていることに気づかねばなりません。その人は親切な行為と思っていても、他人の体の中に起こる勢いを消しているかもしれないのです。

いろいろと余分な栄養を与えて、食物から栄養を摂取しようとする体の勢いを消してしまうことなど、よくあることです。給食を子供が嫌がるのに口の中へ押し込み、食べないと叱り、また、罰を与える教師があるそうですが、それではホルモンを分泌する力のある人に、代用ホルモンを注射しているのと変わりありません。子供は養殖の豚ではないはずです。体が要求しない栄養は体にも心にも毒になります。牛の頭をかかえて草を食べさせるような親切の押しつけは、発揮できる力まで萎縮させてしまいやすいのです。衛生とか、養生とか治療とか、体のこととなると、こういうことが多いのです。

文明生活を見直そう

私のいいたいことは、表面に表われている体力だけが体力のすべてではなく、潜在している体力も体力であることを自覚し、自発的に行為すれば、こういう力を活発に喚《よ》び起こすことができるのだということであります。

近頃は人間の意識が発達したためか、笑うのでも、こんなことを笑ったら他人に笑われはしまいかと、あたりを見回してからでないと笑えない。泣くのでもそうである。体中を震わせて、泣いたり怒ったりすることが珍しくなった。しかし体の勢いをつくり、体の力を発揮するためには、笑う時は声をあげて笑わなければならない。泣く時は泣き、怒る時は怒る。気取りのために、体中で泣き、笑い、怒ることもできないようなことをしていては、活気が興《おこ》ってこない。

嗜《たしな》みとか慎《つつし》みとかが大切であることは否定しないが、それは、体中で笑い怒れる人が慎むから慎みであり、嗜みなのであって、エヘヘヘヘと誤魔化《ごまか》し笑いしかできないようでは、腰が抜けているというだけであります。自然の感情の発露がなくなってしまうよ人間が人形に近づいたといえます。もう一度、原始の状態にフィードバックし、そこから再出発する方が、活き活きした生き方が生まれるのではなかろうか。自分の持っている力を発揮できなくなった人間には、特にこういう、全身を叩きつけ、全力で生きることが必要だと私は思うのであります。

ある作家が、整体協会に入会したら、友人に「お前までが無知《むち》蒙昧《もうまい》な野蛮人の仲間入りをしたのか」といわれたそうですが、無知蒙昧は別として、野蛮人の体力を持つようになることは我々の欲していることです。野蛮人の体力を得て今日の文明生活を見直すことが現代の人々にはことに必要なことでありましょう。

第二章　愉気《ゆき》及び愉気法

「気」は心ではない

「気」は見えません。触《さわ》れません。ただ感じるだけです。五官で感じるわけではありません。山の中でも水があれば水の気を感じます。火があれば火気を感じます。街の盛り場などの空は人の気が上がっております。三十年ほど前の話ですが、お酉《とり》様の日、空の明るくなるほど気の上がっている方向へ歩いてゆきましたら、道の見当はつかなかったが、神社の前に着きました。闇の中でも人の気配は感じます。何か悪いことをした人は、そういう雰囲気を背負っております。それが他人に何となくソワソワしている印象を与えるのでしょう。

見合いをした人がおりました。平素と同じ感じです。決まらなかったそうです。同じ日、また見合いをした人に会いました。活き活きと何となく華やかな感じで、平素のその人のようではありません。あとで婚約したそうです。会った人は皆、華やかだとか色気が出ていたとか、同じような印象を語りました。気は誰にも感じます。

しかし、五官で感じたのではないので、誰も確定的なことはいえません。なんとなく気になったとか、あとでフッと気づいたとか、そんな気がしたとかいうだけです。気とはそういうもので、見え、触れ、味わい得るものではありません。

気が張っていると、苦しいことも痛いことも感じません。気が凝《こ》ると、そのことにしか心が働きません。将棋を指したあとなどは、他人の顔が将棋の駒のように見えて「金」のような顔だとか、「香」のように細いとか、そう見えます。気が散ると思い出しても断片的だし、憶えても断片的で、アーク燈の光で見た絵のように頭の中は集注しません。焦《あせ》って頭を整えようとしてもバラバラになります。気が沈むと自分のことしか考えられず、何でも陰気に感じ、笑い声まで空々しく感じます。強気な時は何でも活気に映ります。

「気は心」といいますが、心そのものではありません。ただ気の動くように心が動くだけです。心だけではありません。体も気の行く方に動きます。尿に気が行くと、急に尿をしたくなります。空腹だと気づくと、たちまち空腹が心を占領します。胃袋も働き出します。何かで眠気がとれると、嘘のように醒《さ》めてしまいます。

この間も、政治家で大臣をしている人がいいました。「どうも近頃は疲れてしようがない」と。「やる気があってやっているうちは疲れない。やる気がなくてやっていると疲れる」と私が申しましたら、「そうだ。私もやる気があるうちは、もっと働いても疲れなかった。やる気がなくなったら疲れるようになった。確かにそうだナ」といっていました。

読む気になって読んでいる漫画をとり上げて、読む気のない勉強の本を読ませるので、子供は疲れてしまうのです。読む気を起こさせれば難しい勉強の本でも、漫画を見るように読みます。残業して居眠り半分の人でも、麻雀を誘われると徹夜をします。寒いからお使いは嫌だとベソをかいている子供でも、雪合戦なら寒風の中でも平気です。子供は勝手だと嘆くお母様は、気ということが判らないのです。だからいつも気の無い返事をする。そして「ハイ、といったじゃないの」などと後でいっていますが、人間同士では言葉より気の方が心から心へ直通するのです。気というものはそういうものです。

「気」は物質以前の存在

元気とか活気とか、気おくれとか、気が適《あ》うとか適《あ》わぬとか、気を入れるとか気が無いとか、天気、気配《けはい》、気遣《きづか》い、気取りから、気が乱れる等々、いろいろと気という言葉は使われておりますが、さて、気とは何ぞやとなると戸惑ってしまいます。それほど身近で気づかないまま使っているのです。西洋には気という言葉がありません。ミトゲン線とかアルファー線とかいっても、それは物質の細かくなって放散する形であって、気ではありません。オーロラにしても、水蒸気にしても、気の現われであって、気そのものではありません。

気は物質以前の存在です。欅《けやき》の大樹も始めは一粒の種子でした。その種子の中にあった気が必要とする物質を集めて、ああいう大きな樹となったのです。ある子が桜の枝を折って花を探しておりましたが、見つからない。しまいには爺やを呼んで根まで掘って探しましたが、花は無かったと不平をいっておりました。これを笑う人がおりますが、人間の体を解剖して生命を見つけているようなもので、笑えないことです。お母様は始末が悪いと困っておりましたが、物をいくら分解しても生命は見つかりません。気も同じです。人間の体も気が造ってきたのです。要求によって生まれた気が、必要とするものを集め産み出したのです。気は精子以前の存在、物質以前の動きなのです。だから見えない、触れない、ただ感じる。それも五官ではない。気で感じるだけなのです。気の動きは勢いなのです。勢いは人のいのちです。

心で気の集散を自由に行なう

気をおくり、気を通して元気を喚《よ》び起こす「愉気法」というのは、気をおさめる訓練を行なうことから始めます。歌を所望されて、大勢の真中に引き出された人が、何となく顔を赫《あか》くしておりました。やっぱり何かあったんだナと見ていると、その人は自分の顔の赫くなっていることに気づいて一生懸命赫くなるまいとしました。すると見る見るうちに真赫になってしまいました。気が集まると、心ではどうしようもありません。赫くなるまい、冷静でいようとするほど赫くなり、とうとう歌わずに引き退ってしまいました。気が顔に集まってしまったのです。後でその人はいいました。「顔だけがあるような気がしてしまった。手のことも、足のことも判らなかった」と。

怪我をして血の出たことに気づくと、急に流れる血の量が増えるのも、こういうことに相違ありませんが、気をおさめ、集める訓練は、そこに気が集まってしまうことではなくて、自分の体のどの部分にでも気を自由に集め、また、抜くことを行なうのです。だから、気を転ずることも外《はず》すことも、気を入れることも通すこともできるようになるのです。気に心が引きずられないで、心で気の集散を自由にすることが、その訓練の内容です。

合掌行気法

その方法は、まず合掌して指から手掌《てのひら》へ息を吸い込んで吐く。その合掌した手で呼吸する。やっていると手掌がだんだん温かくなり、熱くなり、ムズムズ蟻のはうような感じがしてきたり、涼風感があったりするが、そのまま呼吸を続けると手掌がだんだん拡がって室中一ぱいになり、「天地一指」という感じになって、自分がどこへ坐っているか、脚も体もなくなって、ただフカフカした雲の中に合掌だけがあるというようになる。もっとも、初めから誰でもそうなるとは限りませんが、やっていると、いつかはそうなる。初めは、指から手掌へ呼吸をするということだってむずかしい。そういうつもりで息をしておればよい。

やってみましょう。さあ、一緒に息を吸い込みます。ハイ。手掌に気が集まると手掌が呼吸していることが判ります。自分のだけではなく他人のも判ります。自分の手掌に他の人の指を向けてもらってごらんなさい。その指から息が出ていることが判ります。指を動かすと、その感じは指と一緒に動く。これが感じるようになれば、胸でもお腹でも手掌を近づけると気を感じます。その気の熱いのは、その部分の体の働きすぎ、つまり過敏状態。温かさの強いのは弛《ゆる》んでいる部分。冷たいのは鈍っている部分。……感じますネ。そんなに近づけなくともよい。気が適《あ》えば離れていても感じるし、適わねば隣にいても感じない。気とはそういうものです。

今度は合掌して、その両手を三センチほど離します。見ていると、両方の手から互いに吸いついて合わさってしまう。合わさったら目をつぶってもう一度呼吸する。

この間、この実習がすんだとたん、「アッ、鰻《うなぎ》だ」といった人がおりました。あとで室に運ばれた弁当は鰻でした。どうして判ったと聞いたら、「匂いですよ」と申しましたが、台所まではそうとう遠い。第一、他の人には匂わない。私も感じなかったが、その人は感じた。お腹がよほど空いていたのでしょう。要求がある場合、気が落着くと感覚がとたんに敏感になる。この人はそうだったのでしょう。しかし誰でも敏感になります。

合掌行気法は正坐、合掌、瞑目して行なう。時間は五分前後、時間よりも精神集注度が大切です。気が散ったり乱れたりして行なうのは無意義です。気の抜けたまま長時間坐っていても駄目です。

背骨への行気

疲労したり、体力の喚《よ》び起こしを必要とする時は、背骨へ気を通す。

その方法は背骨で息をすること。背骨に息が通ると汗が出てくる。背骨の硬いところは通りにくいが、通ると「可動性」が出てくる。息を通すつもりだけでも、やっていると息が通ることが判る。その方法は、ただ背骨で息をすること。方法は簡単だが、精神が統一すると体の力はいっせいに発動する。正坐でも倚坐《いざ》（腰かける形）でも、立姿《りっし》でも臥姿《がし》でもよい。初めは瞑目してやる。できるようになったら、眼を開いたままでもやれる。慣れれば歩行中でも、仕事をしながらでもできます。決断することの遅い人、行動の鈍い人などは特に変わる。病気の経過の遅い人も、栄養物を食べても満ちない人も、これを行なうと、それまでと異なった活気のある体になる。しばらくすると体の中に勢いが湧いてくることが判ります。

気をおくり、通す法

愉気法というのは、他人の体に息を通すことである。離れていても、手をつないでいても、その部分に手を触れていてもよい。自分の気を相手におくるつもりで、気をこめて息をおくる。それだけである。静かな気、澄んだ気がよい。強くとも荒《すさ》んだ気、乱れた気はいけない。

愉気法とは、人間の気が感応しあうということを利用して、お互いの体の動きを活発にする方法です。こういうことが果たしてできるかと疑念をもつ人がいるが、気を感ずる人ならできる。物しか見えない人にはできない。

生きものなら気は感応する

秋の空の晴れ渡っているように、雲が無くなると空は蒼い。心の中の雑念がカラッと無くなると天心が現われます。天心であれば気は感じ合います。だから誰でも心を静め、浮かんでくる雑念がおさまってくると気を感じます。

私は初め、気を感じ合うのは人間同士だけだろうと思っていました。ところが猫など、耳に愉気しますと飛び上がることがある。あるいはビクッと動き、脚をブルブル動かす。犬や猫だけでなく、他の動物でもそういうことは起こる。また、カビへ愉気すると、増えるのと減るのがある。カビでも、そういう動きがあるのです。

私は昭和四年から自動車を持っていました。まだ自動車を持っている人が少なくて、東京では九百九十五番目の自動車でした。それは、競走馬の足の折れたのに愉気したら、また駆けられるようになった、そのお礼で購《か》ったのでした。走るものを活かしたお礼だから走るものを買おう、というわけで、自動車を買ったのですが、それから今日まで、四十年間、馬の縁で車を持っていますけれども、馬は人間よりよく感じる。その時のお礼が私のもらったお礼の中では一番多く、なにしろ自動車を買えるくらいもらったのですが、人間のお礼ではそんなにもらったことはありません。人間より馬の方が上等なのかナ。

ともかく動物でも感じるのです。だから愉気法を習った人達の中では犬専門とか金魚ばかりやっているという人がおります。最近熱帯魚などでも、弱って水面にあがったのでも、愉気をすると元気になって泳ぐようになるといっている人が増えました。私はやったことがないから保証はできませんが、人間なら数知れぬほどやっておりますから保証できます。愉気して全く感じなかったという人は、ほとんどいない。みな、ともかく感応します。感応すると体を整える動きが起こってきます。

動物に限らず植物も感応します。たとえば朝顔に気を通すと大きく咲きます。菊を作る人で愉気をして大きな花を咲かせ、毎年賞をもらっている人がおります。他の花でも蕾《つぼみ》に愉気すると、花が多く咲くそうです。このように、生きもの同士には、全部共通する何かがある。気という、そういうものを生きものならみな感じる。

相手が感じやすい時に愉気する

中には生きものではなくても感じるという人がおりました。横山大観という、絵を画く人が「俺は気を通すということを支持する。俺は気を通して画いているんだ。そうすると自分の気に入ったものができる。気を入れないで画いたものは、やはり画き上がってよくない」といい、広島廣甫という人は「俺は直線がどうしても画けなかったが、気を通したら画けた」といっていました。横山さんは浜田さんと二人で「人によって気の出方が違う。淡い人、濃い人がある。見えないが感じる。たとえばこの人とこの人、この二人は気が出ていない、弱い」というようなことを道場で話し合っていました。その二人は体のごく弱い人達でした。あとになって判ったのですが、二人とも早く死にました。横山さんは、それで威張っておりました。「だから俺は不摂生やりながら、長く生きるんだ」といって、それこそ一升瓶一本ぐらい平気であけておりました。だから特殊な感覚のある人は、そういう気というものが見えるとか、気を通すとかいう意味が判るようですが、私はその時は、人の体に気を通すと動きが活発になることを知っておりましたが、生きていないもの、動かないものに気をおくって、どうこうなるということは信じませんでした。

けれども生きものに愉気した場合には変化を起こすことは知っております。人の体でも運動系の敏感な人は速く動きます。感じる、感じないよりは、相手が感じやすい時に愉気すると一番よく感じる。それは相手の体に異常のある時、苦しんでいる時、生きるか死ぬかというような境目の時、そういう時に愉気するとみなよく感じます。

だから蜂や毒蛾にでも刺された時、愉気するとすぐよくなる。おこぜに刺されると二日ぐらい痛いのだそうです。その時に上膊部《じょうはくぶ》（ひじから上の部分）へ愉気してやると、二十分ぐらいで痛みが止まる。それで山口県大島郡の水泳の教師は、ひと夏に何百人か愉気してやるとかいっておりましたが、話半分に聞いても、治る人が多いということです。

それから同じ山口県の人で、ハミに食われたが、これをやったら治ったといって話し合って、「そりゃ大変なことだ」とかいっているが、私はハミという言葉が判らないから、ブヨか何かにくわれたのだろうと思って聞いていました。三年ぐらい、同じことをいろいろな人がいうので、ハミって何かときいたら、東京ではマムシといっている蛇のことだという。ウワバミのバミですから、そんなことになるのかもしれないが、そんな場合に愉気だけでよくなったなんていうことは私でも不思議です。私はそういう経験はありません。東京の住人ですから機会がないのです。

感応と体の変化

ともかく、気というものはその使い方で、体の中の勢いを誘導できる。とくに体の壊れた人は、早く恢復しようとする動きが起こる。弱い人は丈夫になろうとする要求が動き出す。

愉気して呼びかけると、呼び出されたままに感応して動き出してくる。たとえば打撲でもした時、少し手を離してそこに愉気をしていると、自分の手が冷たくなるような感じがする。そのうちにピリピリしびれるような感じがしてくる。相手も温かい感じがしたり、ズキンズキン脈打っているような感じがしたりして、皮膚が汗ばんでくる。そしてそういう感じもなくなる。すると相手の打撲の痛みもなくなってしまう。そういうような現象は〝気が感応する〟と申しますが、この感応する働きがあるので、愉気ということによって、相手の気に呼びかけることができるのであります。

次章でお話しする活元《かつげん》運動の誘導も、人間同士が気に感応するという働きを使って、誘導することができるのであります。

第三章　外路系の訓練

——活元運動と相互運動

(A)活元運動

人間の意識しない運動

雪が降ると、転んだといってくる人が多い。転ぶというのは、雪で滑《すべ》ったからだとその人達はいいますが、その滑りやすい道を歩いていても、多くの人は転ばない。無意識に滑ることを警戒する心が生じ、体の動きをいちいち意識して警戒するのではないが、無意識に調節しているので、滑らないで歩いているのです。

ところが腰が硬張《こわば》っている人は、その体での調節がスムーズに行なわれないために滑って転ぶ。警戒は同じでも、腰が硬くて弾力のない人は、その心が体の運動に表われることが遅い。滑って転んでから、滑るまいと思う。だから滑るのは雪のせいばかりではない。

こういう意識しない運動は、錐体路《すいたいろ》という意識運動の系路を抜きにして体を運動させる、つまり「錐体外路系運動」なのです。平素、「活元運動」をやって、外路系運動を

活元運動を行なう人々（中央が指導中の著者）

訓練している人なら、無意識に、転ぶまいとする働きが、あるいは転んだ場合にそれをよけようとする働きが、自然に行なわれるので、あまり怪我をしません。

この間もお父さんが自転車に乗って、うしろに子供を乗せて走り、自動車にぶつかった人がおりました。すると親はぶつかった瞬間に「子供はどうしたろう」と心配したのだそうですが、子供の方はぶつかる前に自分で飛び降りちゃって、「お父さんがあぶないあぶないと思っていたら、ぶつかっちゃった」といって、「ああなってから走っていくんだから、ぶつかっちゃうの当たり前だよ」と親父のことをいっておりました。

親父さんが息子に「どうして飛び降りたんだい」ときいたら、「活元運動だよ。ひとりでに飛び降りちゃった。あぶないのに乗っていられないものなァ」とかいったので、お父さんは参ってしまったといっておりましたが、そういうように意識しない運動が、いつでも我々の体には起こっている。悪い物を食べて吐くというのだって意識しない。猫が犬にあって毛を立てているという場合でも、猫自体は毛を立てようと思っているわけではない。みな、無意識にそういう体勢をとる。暑ければ汗を出し、寒ければ毛穴を閉じる。生きものはいろいろな環境の変動に合うように、体を適応させることによって健康を保ってきている。

だから私達が健康であるという中にはたくさんの意識しない働きがある。物を食べて排泄するのから始まって、体の力を使ってしまうとお腹が空くなど、いろいろあります。お腹が空いて食べたいというのは、全体の動きに応じた胃袋の無意識の運動であるし、大便が溜って出たいというのでも、体の平衡を保とうとするための運動であるというように、私達は意識しない運動のおかげで無事を保っているのです。

空気を吸うと黴菌《ばいきん》が普通はたくさんいますネ。誰がどうやって、その黴菌を吸っても大丈夫にしていくのか。物についた黴菌はいつまでもついているが、人間の皮膚についていると、そんなに長く生きていないで十時間前後で死んでしまう。どういうわけだろうか。

こうやれば大丈夫になる、というようなことを考える前に、いろいろな悪条件の中で丈夫に暮らせるのはどういう理由だろうか、を考えてみたい。頭が疲れると、それに対して欠伸《あくび》が出てくる。感情が苛立《いらだ》ってくると——感情の苛立ちというのは血液循環の変動なのです。あるいは交感神経の興奮なのです——顔が青くなったり赫《あか》くなったり、すぐにそういう生理的な変動がある。感情が高まってきた場合に、そのままにしておけば体に異常を起こす。そこで自然に泣く、怒る。そういうようなことも活元運動の一種で、昔々は今のように泣くとか怒るとかいうのがけっして悲しいとか口惜しいとかの表現ではなく、その人が自分のエネルギーの鬱散《うっさん》のために、怒ったり泣いたりしていることがあったのだろうと思います。今はそうでなくなっていますけれども、だいたい泣くとか怒るとか、欠伸《あくび》するとか、屁をするとか、お腹が空くとか食べたくなるとかいうのも、それらを通して体のバランス、平衡を保とうとする要求によって行なわれているのです。ただそういう要求は、意識して動かしているように思えることもたくさんあります。たとえばご飯を食べるのは、意識して食べようとするように思われる。けれども実際問題として、お腹が空くということは意識的なものではない。

食べたいという要求が起こるのも意識ではない。箸をうまく使って食べるということも、意識でいちいち、小指を動かす、次は中指を動かす、というようにやっているものではない。食べようとすると食べたいものに箸がいき、それをつかまえる。そのために意識で中指を動かし、薬指を動かし、拇指《おやゆび》をこうやるんだといちいち考えないが、みんな、食べようと思うだけで指が自然に動いてしまう。そういうようなことも、意識しての運動というよりは、無意識の運動で外路系による面が多い。

活元運動は意識しないままに動く、というと、無意識に動いてしまうのだろうと思ってしまう人が多いけれども、ただ意識しないままに動く、というだけである。あるいは意識しても、意識以前の動きであって意識して動かす動きではない、というそれだけのことです。

たとえば歩いている場合でも、他人がその足を不意に払えばひっくり返ってしまう。ところが自分だと片足ずつでも歩ける。その場合には、歩くために片足を持ち上げる時に、一本足で立てるような筋肉の準備が無意識に行なわれている。その無意識の運動調整の働きによってそれが繰り返されて、「歩く」という意識運動は行なわれている。それと同じです。

体が捻《ねじ》れていると字も曲がる

だから外路系の運動様式というのは非常に広範囲なもので、悪い物を食べて吐くというような衛生的なものから、転びそうになったものを転ばないようにするというような(これも一種の衛生的なものですが)体育的な感覚であるとか、あるいはピアノを弾くような場合でも、弾こうという意思が起こると指が動くようになってピアノが弾ける、箸を持って食べようとすると、どの指をどう動かすと思わなくても箸が運んでいく、というように、技術的な面からいっても非常に大きな面を持っている。だから私達が丈夫に生きようとする場合にでも、自分の体の無意識の動きというものを無視するわけにはいかない。ある事態に対応する体勢をとろうというような働きは、やはり無意識に出るもいで意識しないで欠伸《あくび》をしようとする時に自然に手足を伸ばすようにするのも、意識しないのが多い。欠伸の動作と一緒に伸びてしまう。それらの運動様式を考えてみますと、意識でやるいろいろな運動も、活元運動といったような内部の外路系の運動が訓練されていないかぎりは、上手に行なわれない。ピアノを弾くという一つのことを考えてもそうなのです。話しをする時の舌の動きでもそうです。

この間来た人に体が捻《ねじ》れている人がいた。体をまっすぐに使おうとすると無意識に捻れてしまうという傾向がある。これはわりに多いのです。字を書こうとする場合に、まっすぐな机でまっすぐに書くと、字が曲がってしまう。机を曲げて、体を曲げて書くとまっすぐ書ける。ご飯を食べる時など膝をあっちへ向けて捻って食べている人がある。これはみな捻れているからなのです。

ピアノを弾くのに、捻れている人だと、捻れているのが右だったならば、右へは力が入りすぎ、左へは力が入らない。そこで高い音の方は強く叩く、メロディーは出るが、リズムなど低い音の方は全然弱い。だから広い場所などで弾くと、低い音が拡がらないために音楽は非常に貧しくなる、汚い音になる。そして高い音だけひとりで先走ってしまう。逆に左へ捻れていると低い音が強すぎる。高い音の方はうまく弾けない。

そういう人をリズムに敏感だとか、メロディーに敏感だとかいう体癖のためだろうかというと、ピアノを弾く場合では、技術的にはちゃんと弾けているのに、右捻れか左捻れかというだけで音楽の表現が違ってしまう。歌を歌ってみても、声帯と口とがまっすぐにならないと高い声が出ない。そこで高い声を出すのに、捻れていると脇を向かなくては高い声が出せない。この間来たドイツのオペラをテレビで観ていましたら、あちらに恋人がいて、それに向かって話しかける言葉を、最後に絶叫するところで、横を向いてしまう。そうしないと高い声が出ないから、無意識に横を向いているのだろうけれど、何か好きな人に横を向いて叫んでいるような感じで、ちょっとおかしかった。声を出す時も、ある程度以上の声を出そうとすると、その人の体癖に適《あ》う形をとらざるを得ないのです。

そういうようなのは意識して動かすのではない。また、表情なども意識して作るものではない。だから意識して作れば妙な顔になります。逆に意識して作るものではないからこそ自然に動く。自然に動くその筋肉の動きが悪い場合、外路系運動的な訓練が行なわれておらない場合は、こまかい笑いができない。かすかな要求がすぐ表情に出ない。うれしいんだか、悲しいんだか判らないというようなことになってしまうのですが、そのように無意識の運動が訓練されていないために、意識しての運動が歪《ゆが》んでしまう、あるいは意識しての意思表示が違った方向に行なわれるというようなことがよくあります。

だから技術を修めたり、人とつき合ったりする場合に、外路系的な訓練というものはやはり重要であります。

外路系運動の鈍い人はもろい

しかし、悪い物を食べて吐くのは、悪い物が入ったのだから吐くのです。だから吐いた場合には胃袋は丈夫だったのです。それが腸に行って下痢したら、それは腸が丈夫だったのです。吐いたり下したりしたから胃や腸が壊れたと思うのは、その体の持ち主の頭がどうかしているので、体からいえば自分の体に対して、下痢したら「腸よ、よくやった、もっと残さず掃除しておけ」、吐いたら「胃袋よ、よくやった」と褒めなくてはいけない。先日来た人も肝臓が腫《は》れてしまって「ゆうべ飲みすぎたら肝臓が腫れちゃった、何とかしてくれ」という。飲みすぎて肝臓が腫れなかったらどうなるだろうか。飲みすぎて肝臓の腫れるのは当たり前じゃないか。飲みすぎて余分な毒素を入れたから、それに対応して肝臓が働いて消毒薬の働きをしているのです。それが肝臓が腫れる理由です。飲んで肝臓が腫れたって異常ではない、飲んで腫れないような肝臓だったら、それは肝臓が怠けているのです。

外路系運動の鈍い人達は、食べてから三日経ってあたった、というようなことがある。体が鈍ってしまっている人は、他の人が風邪をひいてもすぐひかないで、みんなが治った頃になって風邪をひく。だから重いし、長くかかる。癌にしても脳溢血にしても肝硬変にしても、ふだんチョクチョク風邪をひいたり下痢をしていない人達がやる。体が鈍っているためですが、鈍るというのは外路系運動の動き方が鈍いのです。鼻にご飯粒が入ったら、入ると同時にパッとクシャミが出ればそれは敏感であるが、三、四日経って、クシャミの中にご飯粒が混っていたなんていうのは、それだけ保存していたわけです。ご飯粒だからいいけれど、そうでなければ中で繁殖してしまうに相違ない。だから敏感にサッサと放り出してしまうような活元運動が行なわれていなければ、健康は保ちにくいし、みんなの健康を保つということも、外路系運動の働きによることが非常に多い。

病気が治る場合でも同じです。

こういう自分の体の運動訓練を行なわないで、他人の力で治してもらうとか、薬で治すとか、自分の力を補ってもらうとか、庇《かば》ってもらうとかして治そうとする、あるいは健康を保とうとする、そういう考え方は間違っている。自分自身でそういう体の運動失調状態を調整するように動かなくてはならない。なかには、病気になった以上は、自分が大便したい時でも人が気張ってくれるのが当然だと思っている人があります。そして、

「貴方の気張りようが悪いから私の胃はなかなか治らないんだ」とか「あの医者が気張らないから俺の糞がなかなか出ない」とかいうようなことを平気でいう。やっぱり他人にいくら気張ってもらったたって、出るのは自分の糞なのです。だからその人自身の運動失調は、その人自身の運動によって調整しなければならない。自分の糞は自分で気張らなければならないのです。

そんな簡単なことが今の衛生観念からは忘れられているのです。だから、だんだんよくなってくると病気の治るのが惜しくて、未練症状を起こしている人がたくさんおります。また病気になりはしないか、今度重くなったらどうしよう、というように、病気が治ってもそんなことを心配しているのは、未練症状というのです。

未練症状が起こってくると、そういう気の動きで、また、外路系運動が乱される。意識ではなく潜在意識の中に起こる未練症状で、体の中の運動が乱される。だから片方で丈夫になろうとしながら、体を壊すことをしているというようなことになっていく。いずれにしても衛生という面では、活元運動によって外路系運動を訓練して、どんな小さな要求にでも応えて動けるような状態にしておかなければ、健康を保つということはむずかしい。

自分の体の要求に従うこと

よく「健康にしてもらいたい」という人がおりますけれども、健康というものは自分で産んでいかなくてはならない。人からもらうものではない。自分で運動を調節して自分で作っていく。自分の生活の反映が今の健康なのです。自分の体の使い方の結果が今の健康である。異常なら自分の使い方の結果が異常なのです。だから異常を起こしてそれを治そうとするなら、体の使い方を改めなくてはならない。使い方を改めるのは頭で考えてもわからない面があるが、人間の体には意識しないでバランスをとる要求があります。ご飯を食べるにしても、体に必要な時はうまいし、必要のない時はうまくない。働くにしても、エネルギーの調整が必要な時は快い、余分になると疲れる。エネルギーが余るとだるくなる、暴れたくなる。けれども、ちょうどいい時は快い。ちょうどよければ、暴れたあとでもそれが鬱散《うっさん》に役に立って快い。

そういうように、どんなことがあるにしても、みんな感覚があるし要求がある。入浴しても、疲れた時は熱い湯の方が快い。疲れない時はぬるい湯の方が快い。体も古くなってくると入浴の温度も高まってくる。高くしないと快くない。ちょうどよいということは、快いという「快」という感じで現われてくる。体が「快」と感じる方向に動いていれば健康になれるし、「快」という方向に動くようにいつの間にか無意識に方向づけられているので、それに逆らうと不快になる、疲れる、だるくなる、眠くなる、満腹する、といったように、みんな不愉快なことがたくさんに起こってくる。ちょうどいい時はいつでも快い。

だから人間は快い方向に動いていれば健康になるし、健康になればどういうことをやっても快くなる。そして、その快いという方向に逆らわないようにさえしていれば、自然に丈夫になっていく。それを意識で「良薬は口に苦《にが》し」というようなことを考えてしまう、それは間違っています。頭を通さないで、意識以前の快さをそのまま感じて、それが行動につながるように生活すれば、人間は自然に丈夫になるのですが、意識が発達しすぎるとそれがむずかしい。

そこで意識をいったん閉じて活元運動を練習して、そうして自分の体の無意識の運動が活元運動によっていろいろと動けるように訓練されて、自由に動けるようになることが一番望ましい。「整体協会」の道場では、毎月活元運動をお教えしておりますが、それは、これをやると病気が治るとか、健康になるとか、そういう意味でお教えするのではない。整体協会でやっておりますのは、錐体外路系運動の訓練をするためとして、活元運動をお教えするのです。

外路系運動が敏感になって、活元運動をやらない前と後と、どちらが上手にピアノを弾けるかテストしてみればすぐ判る。野球をやっている人で、そういう活元運動で球を投げるようになって、意識して投げるのと全然違った速度が出せるということを発見したといっている人がおりました。踊るのでも何でも、みんな活元運動をやり出すと、意識しない動きが敏感になってくるから、全然それまでと違った運動様式になってくるらしい。

いずれにしても、整体協会でやるのは健康法とか治療法としての活元運動ではなくて、外路系運動の訓練としてお教えしています。その通りおやりになって外路系が敏感になると、ひとりでに健康になってまいります。

活元運動の誘導

活元運動を誘導する前に、まず邪気の吐出《としゅつ》ということをします。

両手で鳩尾《みぞおち》を押えてそうして息を吐く。老廃の気を全部吐き出すような気持ちで、体をこごめるようにして吐く。もう一回やります。もう一回やりましょう。しかし、鳩尾が柔らかくなって欠伸《あくび》が出てきたら、その人は欠伸に任せて、もうやらないでよい。欠伸も活元運動ですから、それが出るようになったら、活元運動が出ていると考えていいのです。

次は背骨が鈍って硬い人は背骨を捻《ねじ》るような動作をします。

正坐して自分の背骨を見るように、縮んでいる上体を伸ばし、左に捻り、弛《ゆる》めてまた右に捻る。急に力を抜いて戻す。これを左右交互に、七回ずつ行なう。(左ページ写真参照)

それから訓練法を行なう。(五二ページ写真参照)

(1) 徐々に息を吐きながら、拇指《おやゆび》をにぎりしめ腕を上げ、体をうしろへ反《そ》らしてゆく。

(2) 奥歯をかみしめ、首から背骨に力をギューッと入れるようにして、入れきって急に力を抜く。

もう一回……、もう一回やります。三回で終わります。人間の運動は息をつめる時に力を入れるのです。力を抜くと息を吐いてしまうのです。それをアベコベにやるのです。息を吐きながらやる。それが特殊なやり方なのです。こうすると背骨に運動の起こるような必要が出てくるのです。

(3) 手を上向きに膝の上におき、目をつぶります。目をつぶって首を垂れる。そして

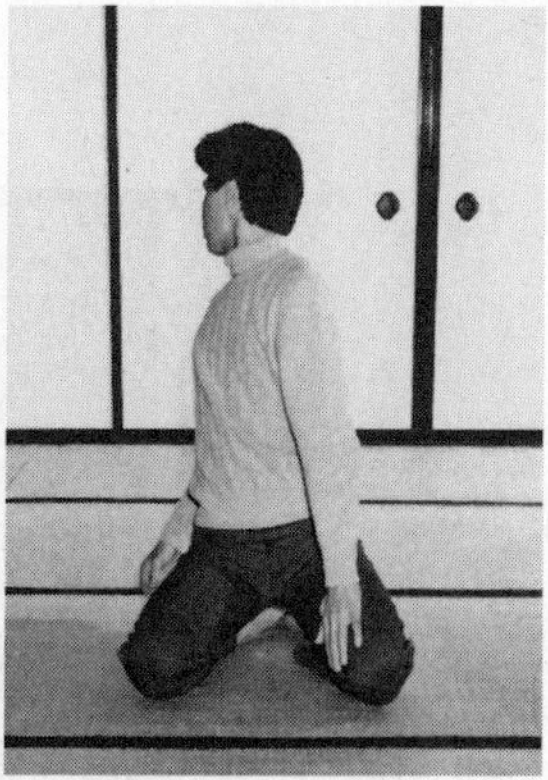

1

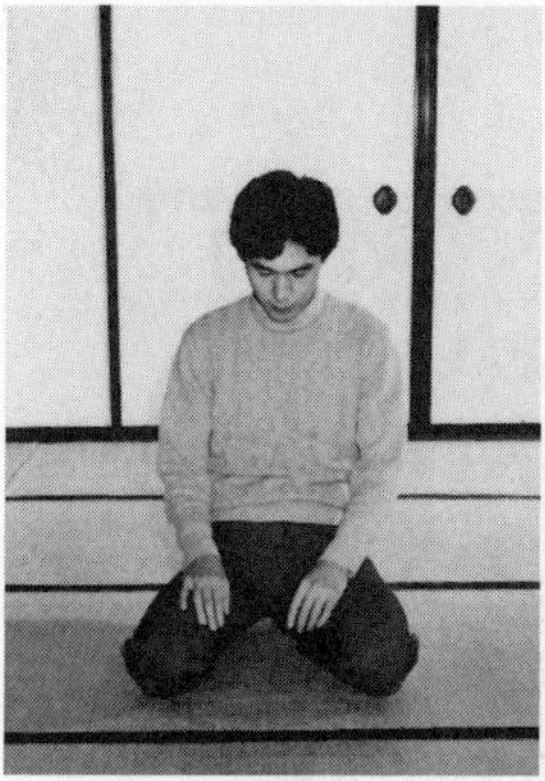

2

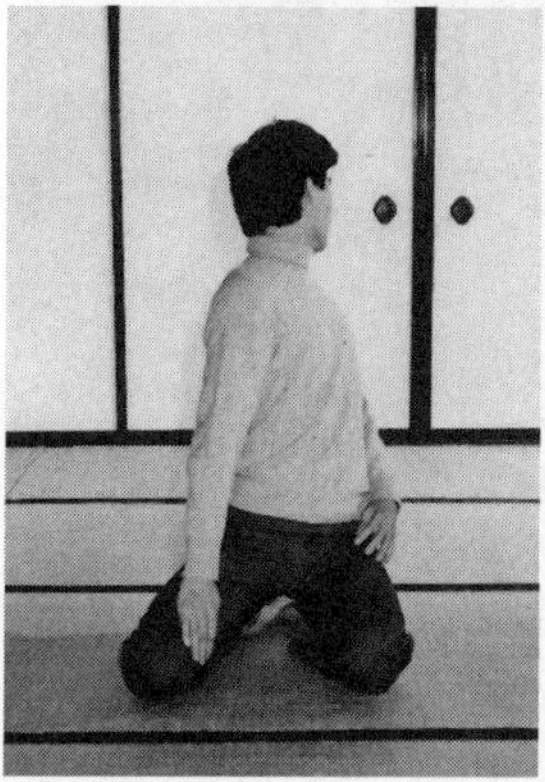

3

●捻る運動（写真1・2・3）

自分の背骨に息を吸い込むような、背骨で呼吸するようなつもりでいる。すると少しずつ体が動くような感じがして、やがて動き出してきます。あとはそのまま何もしない。ポカーンとして体を自然に任せきる。

(4) 動き出したら、その動くままに、動いている処《ところ》に息を吸い込むようにすると、もっと動きが大きくなってきます。首が動いたら首へ、腰が動いたら腰へというように息を吸い込むようにするのですが、動き出したら意識してそういうことをしない方がよい。運動が出て止めようと思っても止まらなくなるほど、大きくなることもあります。また長い時間動き続けることもありますが、止めようとしないで、終わるまでやるのがよいのです。長い短いはあるが、止まらないということは全くありません。

(5) 終わったら瞑目《めいもく》したままで、しばらくポカンとしております。一分でも二分でもよい。活元運動後のポカーンは、他の時のポカーンとは全く違います。

もし途中でやめなければならない時は、息を何回も吸い込んでこらえ、徐々に運動が静かになって止まったら、これをやって、眼を片目ずつ開けます。目を開いたら、もう一回静かに息をお腹に吸い込み、耐えてからゆっくり吐きます。これで終わりです。

(B)相互運動

「気」の交感作用が起こる

活元運動は誰でも出ます。一瞬時もポカンとできないような人や、体が柱のように硬《こわ》張《ば》っている人は初めは出にくいが、他の人より誘導法を多く行なえば出ます。月経の時でも、風邪の時でも出る。出たらやってよい。心臓の悪い人が出た時、皆心配して終わったあと脈をしらべたが、やる前より減って調《ととの》っていました。「あれだけ運動したのに妙ですナ」といっていましたが、活元運動は不随意筋にも及ぶということを考えれば、そう不思議ではありません。

しかし体がだるいとか、眠いとか、重いとかいう時は、出るまでが億劫《おっくう》で、ついズボラしがちになる。これが自分でやるということの欠点ですが、活元運動も自然に出るようになるまで身につけた人は、どんな時でもひとりでに動くのだから、そこまでやってしまえば、むずかしいことではないが、そこまでゆかない、いちいち訓練法を行なって活元運動を誘い出さねばならないうちは、やはり億劫になりがちです。

活元運動は二人で組んで行なうと、あまりやりたくない時でも、活発に動き出し、動き出すと億劫も無精も消えて元気になる。二人で組んで活元運動をやりますと、一人でやるのと全く違った力が働き出す。気の交感作用とでもいうべきか、出にくい二人が組んでもよく出る。片方さえ活元運動の出た体なら両方とも出ます。その組むことでも、初めは誘導する方とされる方に分かれるが、活元運動が起こると、それが転換してしまうこともよくある。体力が余っている方から足りない方に流れる動きが生ずるのでしょう。だから自分は弱いと思って受ける方になっていても、誘導する方に回ってしまうことがしばしばあります。たとえば糖尿病をもっていたOさんが、受ける方に回って始めたが、途中で誘導する側に転じてしまった。あとで汗を拭き拭き「私は病人だから体力の足りない方に回ったが、あべこべになってしまった。誘導する方も存外気持ちがよいものですな、サッパリした」といってましたが、一週間ほど経って、「尿の糖があの日から急に減り、昨日は正常になった。エネルギーを鬱散《うっさん》してよくなったのだから、私はよほど余っていたらしい。食べすぎていたのですかな」と、今そのことが判ったような顔をしていっていました。しかし、体はとうの前から知っていた。

二人でやる組運動を「活元相互運動」と名をつけました。皆さんでやり合うことをおすすめします。大勢で組をつくってやってもよいし、家族がやり合ってもよい。活元運動の出る人がおれば、家中皆出るようになる。気の交感作用ということは全く面白い。

自分の体力を発揮すると丈夫になる

相互運動が普及されて、活元会がほうぼうにつくられ、皆でやり合ったら、日本中の人がみんな丈夫になり、もっと和《なご》やかに暮らせるのではないでしょうか。ご馳走を食わなければ丈夫にならない、余分に休まなくては体がもたない、働かないでたくさん食おうというのでは悪いことをするよりほかない。それが命《いのち》がけの問題だとなったらみんな悪いことをしますよ。活元運動が普及されたら、今までの衛生の考え方も変わるでしょう。各人が疲れず、余分に食わないで栄養が充《み》ち、余分に眠らないで快く働けるようになれば、そして丈夫になることが判れば、そんなに悪いことをしないでもすむわけです。

今の世の中の悪い面の中にも、多分にこの衛生問題があるように思われるのです。私は活元運動の普及によって、整体協会の目指す体力づくり運動というだけでなく、世の中をよくする方向に進められたら、どんなに愉快だろうと思う。隣の人と助けあい、一緒に心から笑える。お互いに誤魔化《ごまか》さないで信用しあえるということだけでも愉快だと思うのです。疑って騙《だま》されまいと警戒して生活しているより、ずっと気持ちがいい。そういう世の中にする機縁になればと思うのです。

相互運動というのは一度やれば今度はすぐ次の人をやれるのです。だから、お家に弱い人があったら、その人と組んですればよい。自分が具合が悪い時は、活元運動の出る人と一緒に組んでやれば、受ける人も、やる人も、健康度が高まってくる。家族でやりあえるし、そして家の中でできる。

活元運動や相互運動をしていると、病気を治して丈夫になろうというような考えなど無くなって、自分の体力を発揮して丈夫になることを考えるようになる。これがいのちの姿勢を正すということに連なる。

相互運動のやり方

まずA（誘導する方）かB（受ける方）か、お互いで相談して決めます。

(1) Aの人が、Bの人のこめかみを、中指で持ち上げるように手を当てます。

(2) 同時に、眼の真中を通る線と、耳の前を通る線が頭部で交叉する処《ところ》に両拇指《おやゆび》を当

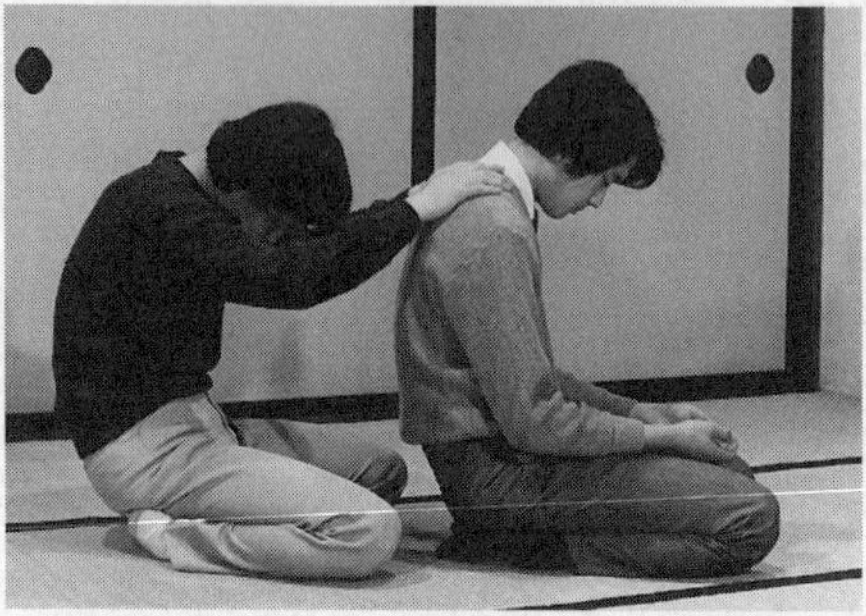

てて、少し内に寄せるようにする。

(3)　合図をして一緒に息を吸う。最初の吸気を合わせることが大切です。

(4)　Aはジーッと気をこめて愉気《ゆき》をしながらゆっくり二十数え、五つ数える間休む。また二十押さえて五つ休み、また二十押さえる。

(5)　次にBの体に軽く手を当て愉気をつづける。どの部分でもよい。Bはポカンとしているだけでよい。

(6)　Bの人の頭が、だんだん深く垂れてきたら、背骨の一番力がかかっている処《ところ》へ手を移し、愉気する。片方の手はどこに当てていてもよい。

(7)　すると、BかAかの体に活元運動が起こってくる。Aが動けばその手は自然に動いて、Bの体の方々に移動する。または一緒に動く。Bの運動もしだいに大きくなる。あとはお互いにポカーンとしておれば不即不離についていく。運動が大きくなって手が離れても、愉気はつづける。

(8)　Bの運動が小さくなったら、気の感じに従って手を当てる。それで、また運動が起こればつづける。手を当てて止まればそれで終わる。

(9)　終わったら手を当てたまま、しばらく愉気していると、手が離れる。その間はお互いに静かに息をしていればよい。

⑽ 最後に一緒に吸う息を合わせて吸い込んで、こらえたまま手を離し、Bは片方ずつ目を開けてから息を吐く。Aはそのまま目を開いて息を吐けばよろしい。最後に活元運動の訓練法（五〇～五三ページ参照）を、呼吸を逆にして、息を吸いながら一緒に行なう。

体力のある人と無い人の場合

活元相互運動中、急にBの手が動いて、Aの体に手がいってしまうことがあります。そうしたらAとBは立場を変える。体力のない方がAになった場合である。体力は意識をこえて、水が低い方へ流れるように、体力のある方がない方へ愉気をするように動く。体力が余りすぎて、尿に糖を出したり、蛋白《たんぱく》を出したり、また、出しそこなって中毒している人はたくさんおります。みんな体の状態をかえりみずセッセと食《た》い込む。たぶん栄養は多ければよいと思い込んでいるのでしょう。要らない栄養を溜め込む。その上、体力を余らせて体を壊しているのに、他人をこき使って、自分は懐手《ふところで》している。そういうような人は、自分では一人前の病人のつもりでいるけれども、相互運動をやると、体力が余っているのだから、ひとりでにやる方になってしまう。B（受ける方）では活元運動は出ないが、A（誘導する方）ならドシドシ動いて丈夫になってゆく。病気は人に治してもらうものと思っているのでしょうが、そういう考えを捨てて、誘導する方に回れば、人をも自分をもよくしてゆけるのです。今の世の中には、鬱散《うっさん》しなくてはならないほどのエネルギーをもって、鬱散できないで体を壊したり、病気に苦しんでいる人が多いのです。そういう人は相互運動で入れ替わるとよい。今日も受けるつもりで来たが、誘導する方になったら、運動をしているうちに頭と腰の痛いのがとれてしまって、スーッとして快い、などといっている人がおりました。その人もエネルギーが余っていたのでしょう。

しかし、体力があるか無いかを見分けることはとてもむずかしい。ところがやりあってみると、人間の本能の働きで、自然に誘導する方と受ける方が転換してしまうのです。そういう転換が行なわれても、そのまま素直にそれに従うことが大切です。そうすると相互運動は無理なく自然に行なわれます。私は体力はあるはずだと意識で頑張ってはいけません。

天心で行なうということ

活元運動も相互運動も、行なう時に一番大切なことは、やり方ではありません。「天《てん》心《しん》」であること、——これが根本です。天心で欲のない、相手に何ら求めることもなく、恩を着せようとせず、ただ自然の動きに動く、そういう心の状態でやらなくてはならない。親切にしてやろうとか、やってやる、受けてやるというような心があったり、自分の技術を誇るとかという心でしてはならない。

活元運動も相互運動も、自然の方法ですから、そのような雑念があってはできないのです。無心で、まったく産まれたてのような天心でやらなくてはならない。それが、相互運動が職業として成り立たない理由でもあるのです。ちょっと油断すると違ったものになってしまう怖れがある。みんなこれを二、三回やって、悪いところへピタッと手が行って、苦しみが急にとれたなどとお礼でも言われると、「俺がやれば何でも治せる」などと思ってしまうのです。けれども、そういう自信をもってしまうこともいけないのです。どこまでも謙虚に、ただ本能の働きだけによって行なう、知識ではない、命の智恵にまかせきった無心だけが、相互運動を成し得るのです。「苦しそうだ、親切にしてあげよう」などと思うことさえ、余分で邪魔になるのです。だから私の道場では、受ける人からも、やる人からも指導料をいただいています。受けるとか、やるとかの区別なく、同じ立場でなければいけないからです。

心を空っぽにすることはむずかしい、無心になろうとすると、あとからあとから雑念が湧いてくるのですが……と質問した人がありました。けれども雑念があとからあとから湧いてくる時は無心なのです。心が澄んできたから、雑念があとからあとから出ては消えるのが判るようになったといえる。ある雑念が心から離れないで、次の雑念を生み出すようだといけないのです。だから浮かんでは消える雑念のまま、手を当てていれば動き出してくるし、動き出せばひとりでに雑念がなくなって、統一状態になります。そうやって心が統一すると、ふだんできないこともできるようになります。愉気《ゆき》というのはそういう、心を統一することなのです。気を集めて心を一つにすることができれば、愉気はできます。

反応には三段階がある

活元運動や相互運動をつづけていると、体が敏感になって、体の健康を保とうという働きが高まるので、それに応じて、いろいろな変動が現われてきますが、それらをひっくるめて、「反応」と呼んでいます。

㈠ **弛《し》緩《かん》反応**　初めだるくなり、眠くなってくる。体中が妙に疲れたような感じになってくる。けれども快い、どこかで快感がある。それを第一反応（弛緩期）といい、この弛緩状態の時には、眠っても眠っても眠りたいし、実際にいくらでも眠れる。食欲もなくなってしまう。とにかく食べるのを忘れるくらいに眠くなるのがこの時期の特徴です。そして体全体がすっかり弛《ゆる》んで、風呂に入っているような感じがして、眠りたいような快い気持ちになる。

㈡ **過敏反応**　そのうちに体の皮膚の下を水が流れるような感じ、あるいは少し寒い感じがするようになる。体に水が流れるような感じがするようになったら過敏反応の時期に入ったとみてよい。そうなると熱が出てきたり、下痢をしたり、体中が汗ばんできたり、痛みが起こってくるというような、急性病に似た変動が起こり、稀《まれ》には高熱の出る人も出てくる。このような反応期を第二反応期といって、体中が過敏状態になるという特徴がある。たとえば歯が痛いというような時には、弛緩反応に入ると歯の痛みが除《と》れてしまう。ところが痛みが止まったのかと思っていると、今度は前よりもっと痛みはじめる。そしてだんだん過敏な痛みになって腫《は》れてくるが、それを経過するとよだれがたくさん出ておちついてくる。これが次に述べる排泄反応であるが、一日のうちに通ることもあるが、数カ月にわたることもある。過敏反応期になると、痛みが起こってきたり、腫れたり、寒気がしたりというような急性病に似た過敏な変化が起こってくるのです。

㈢　**排泄反応**　第一反応（弛緩）と第二反応（過敏）を経過すると、次に第三反応という排泄期に入ります。排泄期というのは、体の老廃物や悪いものが体外に排泄される時期です。この時期になると、たとえば神経系統に故障のあった人は、皮膚にいろいろの変化が現われる。汗がむやみに多く出ることもあれば皮膚病のようになることもある。呼吸器に故障があった場合も皮膚に変化が現われるが、ほとんどが、発汗という形で排泄反応期を経過する等々、ともかく排泄反応というものは、にぎやかなものだが、排泄が行なわれる度に快くなるから、反応であることが判る。

反応の経過で注意すべきこと

反応中は肌着は汚れるし、爪は伸びやすくなるし、ふけは多くなるし、傍《そば》へ行くと臭い。中には体内で石をつくっている人などはその溜《た》めている石を、胆石でも、腎臓結石でも、膀胱《ぼうこう》結石でも、どんどん出してしまう。ただこのような反応期に石が出る場合には、塊にならないで、臭い尿になることが多いが、ときどき気忙《きぜわ》しい人がいて、胆石でも、あるいは膀胱の石まで、固まりのまま出すことがある。膀胱から大豆《だいず》大の石が出たという人も、胆石で三十六個も出たという人もいました。また、バケツに三杯ぐらい下痢をしたとか、鼻汁が洗面器に一杯出たとかいろいろありますが、ともかく排泄反応まで来れば、もうよくなると安心できるのです。

反応のことを話しておかないと戸惑うことがある。過敏反応が出るまでは、すこぶる気分がいいので、有項天になっていると、過敏反応がくる。まず痛みがあちこちに起こる。十年ぐらい前の打撲の痛みなどが再生されるのでガクンとくるらしいのです。そこで活元運動を行なう前に、あらかじめこういう反応のことを教えて指導する必要があります。もっとも、反応とはこういうものだけれども何となく過ぎてしまう、そういう人の方が多い。

経過の方法も一応知っていた方がよかろう。弛緩反応期は、ともかく弛《ゆる》めるということが最も大切となる。眠ければ眠る、だるくなったら横になる、食べたくなければ食べない。とくに弛緩期から過敏期に移る時には、体の下に何か水が通るような、ソワソワした、何となく寒い感じがする。その時、反応の激しい人は強い寒気を感じます。そういう時には、なるべく静かにしているのがよい。そして、体を冷やさないように、冷たい風にあたらないように、とくに汗をかいて冷たい風にあたらないように注意する必要がある。その他、冷やすということにはすべて警戒して避ける。この時期は体を休める時期と心得る。これが弛緩期を過ごす急処《きゅうしょ》だ。なお、弛緩期の愉気《ゆき》は長く行なってもよい。
過敏反応期に入ると、体中にいろいろ痛い処《ところ》が生じ、熱が出る。寒気がひどくなった後で熱が出てくる。特別に寝たりしないで、起きて普通にしていて結構。熱が四十度以上になっても、熱が出ているうちは心配ない。起きていて結構です。かえって寝ていたりする方が経過は悪い。よく熱が出るとあわてて寝るが、それは間違い。熱の出る前は体を休めて温めている必要がありますが、熱が出始めたら起きる、たぶん快感があるはずです。つまりこの時期は、あまり不快を忍んで休んでいる必要はない。
次は**排泄反応期**、この時期は体の硬張《こわば》っている処がほうぼう弛《ゆる》んできて、排泄が行なわれる。弛緩期の弛むのは、体が柔らかく弛むだけだが、この時期のは、体の硬張りが弛むと同時に汗ばんでくる。色の変わった大便が出るとか、大量の下痢をするというように、体中の排泄機能が高まってくる。体を弛めると排泄が早い。排泄されると弛む。普通では弛まないところも、排泄があると弛む。肩が凝るとか、首が硬いとかいうものまですっかり弛む。過敏から排泄に移った時に発熱することがある。熱を下げる工夫はいらない。

反応期は背骨に気を通すと経過が的確になる。弛みも早いし排泄も速く行なわれる。

反応経過の方法には次の方法がある。喉《のど》とか泌尿器《ひにょうき》などに痛みを感じる場合は、「足湯」といって、踝《くるぶし》が隠れるまでを、ふだんの入浴温度より三度高い湯の中に入れる。消化器に異常のある人は、同じようにして膝の隠れるまで湯に入れて「脚湯」をする。そうして八分後に足を拭《ふ》くと、片方は赤くなっているのに、片方は赤くならないということがある。そこでその場合、赤くならない方だけをもう二分追加する。そして眠ると、経過はスムーズに行なわれる。（足湯及び脚湯については一四九〜一五四ページ参照）

高熱が出たら、タオルをお湯でしぼって五センチ四方に小さくたたんだものを後頭部に当てて、取り替え取り替えして四十分ぐらい温めます。これは熱が九度台を越してからの方がよい。後頭部を温めると熱がドーッと高くなって、やがて一気に下がる。

それまでは起きて普通に生活しながら、弛める、引き締めるを上手にやるのですが、第三反応の排泄の時期が終わったら、とにかく体中をすっかり弛めることが重要です。大便も、赤い大便が出たり、黄色い大便が出たり、緑便が出たり、茶色のが出たり、真黒になったりというように、それこそ五色の大便をします。

尿もそれと同じように、いろいろな色の尿が出てきます。真黒な尿が出た人もいました。肝臓に癌のような塊のできていたあるおばあさんは、真黄色の小便をして、真黄色の汗をかいて、風呂に入ると手拭まで真黄色に染まりました。それが止まると、急に塊が小さくなってずっと良くなってきた。それで一年間無事、翌年の春になると、また真黄色な汗と真黄色な尿を出して、体中に皮膚病様の発疹までできて、手拭が黄色く染まりました。おばあさんが我慢しきれなくなって私のところに苦情を訴えてくる頃になると、また、塊がスーッと小さくなってしまうということを、毎年繰り返していました。そして塊ができたまま、七十九歳まで七年間をそうやって暮らしました。七十九歳の年に私が疎開し、そのおばあさんも別の方に疎開して別れてしまいましたが、その後「今年は反応がなかった。黄色くならない。皮膚病も出ない。こんなサッパリした年はない」という手紙をよこしました。私はおばあさんの娘達に「反応がないようなら気をつけなければならない。今年あたりおばあさんは死ぬかもしれない」と申しましたが、それから二年して八十一歳で亡くなりました。反応がなくなってサッパリしてから死んだのですが、八十一歳ともなると、診断された如く肝臓癌で死んだのか、老衰で死んだのか見当がつかない。寿命を全うしたのだと思うより他ないが、排泄反応が起こるたびにお腹の塊がいきなり小さくなるということを何度も繰り返していました。

　これ以外にも反応期に注意すべきことはありますが、反応期にはとにかく冷やさぬこと、反応が終えたら休めること、反応が終わったといってすぐに動き出さず、動きたくなってから動き出すことを忘れないでほしい。

これは急性病の場合とほとんど同じような体の状態なのです。急性病の場合も、熱が出て下がったら休める。治ったからといってすぐに動くと体を壊してしまいます。急性病と反応とどこに相違があるかと考えてみると、同じものではなかろうかと考えられる。ただ病気や何かが拡がって反応を余儀なくされたのが病気だと考えられるし、反応する働きの方が高まって、ある異常を異常と感じだしてから病的状態になるのが反応だろうと思うのですが、いずれにしてもそういうことを自然の働きによって経過すると、本当に丈夫になります。したがって、反応を経過するまで活元運動をつづけることが望ましいのです。それを経過するとすっかり良くなります。とくに家の人同士で活元運動の組み運動を行なっていくと、どっちかが悪い時には二人の力で治せるし、どっちかが悪いことによって両方の体の活元運動を誘導できる。そういう組み運動をやると、体の敏感度はたいへん高まってゆきます。

そういう意味で敏感になるためには、一人一人でやる活元運動よりも、組んでやる相互運動の方がずっと効果があるし、いざという場合にも役に立ちますので、自分一人の活元運動をやって元気になり、健康を保つことができるようになったと思う方は、今度は人と一緒に相互運動をお始めになることをおすすめします。

第四章　体癖さまざま

体癖とは何か

人間の身体運動は一人一人異なっています。同じ物を持っても、顔を歪《ゆが》める人、肩に力を集める人、腰へ力を集める人などあって、皆その部分に疲れが偏《かたよ》ります。それゆえ、同じ職業に従事しても、疲労する部分は各々異なっています。風邪をひいても、みな同じ経過ではない。咳嗽《せき》がいつまでも残る人、下痢をする人、尿の具合が悪くなる人、高い熱の出る人、低い熱がつづく人等々。そしてそれぞれの人によって、いつも同じ経過を繰り返します。食欲がまずなくなる人は、それから風邪が始まる。食欲がいつもより進んだあと風邪をひく人もいる。陰気になって風邪をひく子も、燥《はしや》いだあと風邪をひく子もいます。

食事をするのでも、食物の好みは人によっていろいろだし、食べ方もまた、いろいろです。これは個人の身体運動の特異性のもたらすものといえます。この身体運動の特異性が習性的に繰り返されるのは人に体癖があるからに他ならない。体癖とは、読んで字の如く、体の癖のことであります。体の癖は体癖現象を指していうのですが、体癖素質をいう方が本当でしょう。しかし、ここでは、体癖現象も体癖素質も含めて体癖と申しますが、少し話が進めば、自ずから区分されるようになるでしょう。

体癖は身体運動の特異性の習性的現象であるから、なにも人間だけのものではない。猿にでも、犬にでも、馬にでも、運動系を有する動物にはみなあります。同じ道を横ぎるのでも、蛙はピョンピョン跳ぶし、蛇はニョロニョロ這《は》う。小さな音にも吠《ほ》えたてる犬もおれば、いつも黙っている犬もいる。見て走る犬もおれば、鼻で動作する犬もいる。まっすぐに走るのは速いが、方向転換のきかない猪《いのしし》のような犬もおれば、テリヤのように、回転自在のもいます。咬《か》んでも傷つけないコッカーのような犬もおれば、必ず傷つけるブルドッグのような犬もいます。

しかし、ここで私がお話しするのは、動物全般の体癖のことではなく、もっぱら人間の体癖であります。人間といっても、日本人とか、フランス人とか、アメリカ人とかの人種的区分ではなく、ロシア人もイギリス人もアラビア人も誰も彼も含めて、すべての生きて生活している人間の体癖についてお話しするのであります。

要求と行動特性

生きているものと生きていないものとは違う。その相違は、生きているものは成長し繁殖しかつ自らの力で動くということであります。自動車も電車も動くが、生きているものの特色は自分の力で動く。他の力ではない。しかも、裡《うち》の要求を果たそうとして動く。裡の要求とは、成長し、繁殖するということで、これが生きものの特徴であります。生きものの中でも、動物はその運動系をつかって縦横に行動する。だから動物の行動は要求の現象であるといえますが、虎は野菜の山を見ても、食べ物があるとは思わない。野菜の倉庫でお腹を空かしているが、馬や牛だったら、そんなことはない。そのように生きものの動きの元には、要求というものがある。お腹が空くから食べたくなる、大便したくなるから気張る、鬱滞《うったい》するから運動する、疲れるから眠る、あらゆる行動の元に要求がある。だから、雪合戦などしている時は寒くない。お使いに行かされると寒い。自分の要求から行動しないとそうなる。〃わがものと思えば軽し傘の雪〃というが、スキーの荷物だと軽々かついでゆく人も、他人のものだったら重い。チップでも千円だったら荷物は重いが、一万円だったら急に軽くなって、「もっと持ちましょう」などといってしまう。要求があると力が出てくる。力が出てくると〃騎虎《きこ》の勢い〃とかいって、仲裁されてそれを途中でやめると、つい八つ当たりをしてしまうように、一度発動した力は、その目的に向かって消耗しようとして、意識で止めようとしても止まらないことが多い。小さな子供でも泣きじゃくりするように、大人でも、つい余分なことをしてしまいます。

人間の行動は意識でやっているように見えますが、行動のうしろにはいつも要求があり、要求によって喚《よ》び起こされた力の分散現象としてある。意思はそれに付随するだけで、その方向を決めるだけのものであります。人間の行動を、そういうように要求から出発した力、それの分散現象として見てゆくということになれば、人間の行動を丁寧に観察することによって、人間の特色とか類型とかが判るのは当然だと思います。

要求の方向の相違

私のいう「要求」というのは、意識的な要求、大脳的な欲求のことではありません。体の中に要求としてあるもののことです。産まれたら、ただ生きようとする。何故生きるかを考えない。よく、俺はこれこれこういうことをするために産まれたとか、こういうことをすべく生きているとかいう人がありますが、そういうのはあとからつけた理屈で、やはりほんとうは自分の体の中に生きたい要求があって生きているのです。人間に限らず、他の生きものも全部、この要求によって動いているといえましょう。

この要求の一番根本にあるのは、種族保存の要求、成長の要求、自由行動の要求であります。動物はこの要求を果たすべく、その運動系を駆使して活発に動きつづけるのであります。

しかし、動物でも人間でも体構造が異なると、その動き方も、感受性も、要求の現われる方向も、みんな異なってきます。

牛は母牛の母乳を飲んで育ったのだから、動物質のものを食べても不思議はないのですが、かれらは草しか食わない、虎やライオンにとっては御馳走である羊肉など、見向きもしません。

そういう要求の現われ方に相違ができるもとは、胃袋内部の酵素の相違であるが、酵素が違うと、要求するものが違ってくる。あるいは要求するものが異なるから違う酵素を具《そな》えるようになっているのかもしれない。いずれにしても体構造の異なりによって、要求の現われ方が異なり、要求するものが異なることによって体構造も異なってくるのだろうと思います。

また、運動系の構造が異なると、その動き方もさまざまである。蛇はニョロニョロ動き出し、蛙はピョンピョンはねまわる。蜘蛛のようにお腹が空いてもジィーッと巣をはって獲物を待っているものもあれば、豹《ひょう》のように獲物をめがけて飛びかかるのもある。また鳶《とび》のように悠々と空中に輪をかきながらサーッと降りてきて野鼠を捕まえるものもある。その動き方はそれぞれ違うが、ある要求を果たそうとする点では同じであります。ただ運動系の構造の相違が、いろいろの運動特性をつくり出しているといえましょう。

人間も生きものであり、動物であることは変わりはないが、その行動習性や、生活習性は他の動物よりはるかに複雑であります。

梟《ふくろう》のように、夜更かしして、夜になるほど、眼が冴えてくるというような人もあれば、夜明けと共に起きる雀のような人もいる。勉強をズボラして、重い荷を背負ってスキーに行く人もいるし、何か運動するより、家で寝ころんで本など読んでいる方がいいというような人もいます。同じ食べるのでも、忙しく口へ運ぶ人もおれば、悠々と食べる人もいる。旨《うま》そうなものから手をつける人もおれば、旨そうなものを後にする人もいる。肉食主義者あり、菜食主義者ありです。

そうかと思うと、まず自分の言いわけをしなければ話の本題に入れない人、七面鳥のように相手に合わせてサッと色を変えていくなどという人もいる。中には人間のくせに人間を食って生きているというのもいます。

よく見れば、眼は二つ、鼻は一つ、口も一つ、手を動かし、足で立って行動する。構造的にいって、あまり相違があろうとは思われないけれども、その生活状態をみると、さまざまである。むきになって怒る人もあれば、むきになって人のためにつくす人もあり、むきになって、自分のところに物をかき集めて離さない人もいる。どうせ地獄に持っていけないのだから、誰かにやろうと思って貯めているのかもしれないが、ともかく生きているうちは、かき集めて離さない。かと思うと、なくなるといけないから早く使ってしまおうなどといって、パッパッと使ってしまう人もいる。

そういう要求の表われる方向の相違、感じ方の相違、行動の相違というものは、何からくるのか。蛇と蛙ほど人間の運動系の構造は異なっていません。それなのに、人間がいろいろの行動をするということは、おかしなことであります。

要求の方向と感受性の偏《かたよ》り

そこで私は「生きた人間」の体癖をしらべ出そうとするにあたって、まずその人達がどういう体の構造をしているか、どういう体運動の癖を持っているか、どういう感受性を持っているか、その感受性を左右する要求の方向というものに重点をおいたのであります。

人間の行動は、外部のいろいろな要因によってもたらされるが、その感じ方によって反応が違います。したがって外的理由は感受性に対する刺戟《しげき》として働いているのであるが、感受性そのものは内部的な理由、とくに要求によって左右されます。空腹になると食べものの匂いに敏感になり、エネルギーが余ってくると赤い色に敏感になってくるなどというのはその例であります。私のようにレコードばかり聞いている人間は、スピーカーの音の変化に敏感になってくる。また、レコードそのものにも敏感になる。自分の、それこそ何千枚あるか判らないレコードを自分以外の誰かがいじるとすぐ判る。

他のものは汚れていても平気なのに、ターンテーブルは誰かがいじると匂いが残るのでその匂いに敏感になり、誰が近づいたかすぐ判る。そのくせ、他の匂いはあまり気にならないで、牛肉の腐ったのなどは、平気で食べてしまう。こういうことは私だけでなく、誰も要求があれば、その方向に感受性が偏って敏感になり、反応度も高まります。それは身体運動にも明瞭に表われます。

たとえば、旨《うま》そうな食べものを出されると唾が分泌される、旨そうに感じるのはその人が空腹のためで、食べたいという要求があるからです。だから満腹の時だと、どんなに旨そうなビフテキが出てきても唾は湧いてきません。

音でも、自分に関係のない音には無縁であります。音は二万から二〇サイクルまでの音なら聞えるということになっているけれども、それ以外の振動は、人間の耳では聞えないことになっています。しかし聞えるはずの音でも聞えないこともある。同じ耳でも聞える時と聞えない時がある。戦争中のことでしたが、ある学者は近所に落ちた爆弾の音を、研究室にいて全然知らなかったそうです。それなのに夜、枕もとの置時計の音がうるさくて眠れないと、私のところへ来て訴えていました。また、「お使いに行って下さい」というのは聞えないで、「あの人、意地悪ね」という言葉は、さっと耳に入るという人もいました。

そういうように要求がある方向に偏《かたよ》ると感受性も偏って、感じ方の度合も変わってくるのであります。

道に一万円の紙幣が落ちていても、牛は平気でそれを踏んでゆくが、人間になるとそうはゆかない。あたりを見廻してから、あわてて拾おうとしたり、見るが早いか素早く拾う人もある。拾ってから周りを見まわす人、ためらって横目で見て通りすぎる人もいる。一枚の紙幣が人間にいろいろな動作の相違を起こすような刺戟物になるということは、人間の感受性がそういう方向に偏っており、その方向に体運動が行なわれていくということであります。

立姿《りっし》における運動特性

人間以外の他の動物は、要求が直接行動になってしまうのですが、人間の行動は、裡《うち》の要求がそのまま率直に表われて動いてしまうような場合と、ある感受性を通して動いてゆく場合とに分けることができます。本当は分けられるものでなく、どれもこれも同じなのですが、特に人間の運動は、意識的な感受性が複雑なため、同じ動くということにも、いろいろと個人的な特徴があるのであって、大脳動作というか、頭で考えたり感じたりして運動が出てきます。自然にさっと体の動きに出てくるような意識しない運動の外に、意識的な運動が人間の動作の代表になっています。それゆえ、人間の運動は、立姿による大脳動作ということがその特徴であるといえます。

そこで生きた人間の行動観察をなし、体癖を研究していこうとすると、最初に人間の裡にある要求とか、感受性とかいうものから調べなければならないということはもちろんでありますが、まず人間の特徴である立姿における大脳動作というものからつかまえ出すこと、それが私の体癖研究の最初の問題になるのであります。

立姿における大脳的動作の中で、大脳的なものは別において、立姿運動というものがどのような構造によってできているのだろうかということをまず見ましょう。

前後、**左右**、**捻《ねじ》る**（円回転はできないから半円である。これを「捻転《ねんてん》」という）、それから**上下**、**伸び縮み**、これらの運動が、体のある部分に、ある時間、行なわれるということがその特徴でありますが、そのある時間が速い場合と、運動自体が速い場合があります。遅速とか、敏鈍とかいうような動きであります。同じ縮むのでも、ゆっくり縮める人もあるが、ハッと反射的に縮むのが速い人もあります。そういう時間的なものは大きな意味をもっているので、遅速とか、敏感、鈍感とかいうことも、大脳の立姿運動の中に入れなければなりません。

そうすると人間の立姿運動は、上下、前後、左右、捻転、伸び縮み、敏鈍の六つの動作が組み合わさって行なわれているといえます。

もし、斜《なな》めに動くという動作は何かといえば、前後運動の左右どちらかの半分が強いから斜めになるのであって、斜めも前後運動の偏《かたよ》りであります。

そこで立姿運動を分解して、運動の原則をとらえ出してみると、先の六つになるので、ある人の動作は、この中のどの傾向によって特徴づけられているか、と見てゆくのであります。たとえば、前屈《まえかが》みという癖のある人がいる。前屈みというのは、あやまる時とか、恭順、敬意を表わす時とかにする姿勢であります。それを何でもない時にでも、いや威張っていいような時にでも、前屈みしてしまう。無意識にしてしまっているのだから、そういうのは前屈の癖があるというよりほかありません。

このように、人間の運動動作を見ていると、けっして平均していない。自分ではまっすぐなつもりでも、いずれかの傾向に偏っているのであります。かりにバンザイをしてみても、自分では両手を同じに挙げたつもりが、左右同じに挙がっていない。片一方は伸びているが、片一方は伸び切らない。そういう人は、手の伸びきらない側に重心が偏っているのであります。

また、片一方は後へいっているが、片一方は少し前へ出ている人もあります。そういう人はお尻の捻《ねじ》れている人であります。手をいくらキチンと揃えさせても、じき元へ戻ってしまうが、腰の捻れを正すと、自然に手も揃うようになります。前屈みにしているような人は、手もあるところまでは伸びるが、それから上にはゆかない。また、両手がうんと開いてしまっている人もあります。同じバンザイするという動作でも、その違いはかなり明瞭なので、それぞれの体の運動に、六つの中のどの傾向が強く出ているかということで分類してみました。

ある人は前運動が速い。前後の筋肉の縮みが速い。緊張すると前へゆく。ある人は緊張すると肩を捻って身構える。私などは緊張すると縮む。六つの運動の中で、縮むのが一番速く強く行なわれる。そのくせ伸びるのは遅い。さっと縮んで、伸びてくるのは一番遅い。動物の中でも、かたつむりとか、さざえとかはちょっと触るとさっと縮んでしまうが、用心深くてなかなか出てこない。私などでもそうであるが、お義理にさっと縮んですぐ伸びてくるような、伸び方にむしろ特色のある人もいます。

そこで、その人の運動の中で、どれが一番強く行なわれるか、これを偏り運動として十二の方向を調べ出したのであります。

この偏り運動が、私の体癖研究の元になったのですが、これは体癖の現象ではあるが体癖素質ではありません。けれども見えないものを追いかけてゆくより、現象をつかまえた方がつかまえやすい。そこで同じような偏り運動をする人達を類型として分けていって見ると、やはりこの十二種類に分けることができました。そこで、その類型に番号をつけました。緊張すると濃く出るものに奇数番号を、弛緩《しかん》すると濃く出る傾向のものに偶数番号をつけました。

- **●上下型**　一種、二種
- **●左右型**　三種、四種
- **●前後型**　五種、六種
- **●捻転型**　七種、八種
- **●開閉型**　九種、十種
- **●遅速型**　十一種、十二種

これが体癖分類の十二種類であります。

十二体癖の特徴

一種体癖というのは、すぐに上がってしまう質《たち》の人です。演壇に上がると、よく上がってしまう人があるが、気が上に上がってしまって、体の働きが大脳の働きに転換してしまう。エネルギーが余ると頭ばかり働く。戦後、帰ってきた軍人さん達と話した中で印象に残ったのは、外地で慰安婦の順番を待っていたら、急に難しい本が読みたくなって読み出した。そしたら性欲が抜けてしまった。そういう人が同じ隊に三人ほどいた。「お前も俺の仲間か」というわけで三人がよりあって、いつも議論をかわすようになった。そしたらあまり体の要求は感じないで通るが、周期的に議論したくなる時期があったということでした。また、浅草のストリップ劇場で出会ったことがあった時、「お前もきてたのか」というわけで、「俺達はこういうところも共通しているところがあるのかな」と話しあったそうです。

一種体癖以外の人が胃が悪くなると、胸椎六番の椎骨（一四八ページ参照）が下がるのですが、こういう人達は逆に上がるのです。そこで「俺たちは上がりやだ」などと語り合っていました。私の家内などもこの仲間で、背骨が上がり出すとすぐ下ろしておけば機嫌がよいが、そのままに放っておくと、何でもないことを心配したり苦情をいったりしだす。それが十日間ぐらいつづく。

ふだんの動作を見ていると、考えることはあっても行動しない。エネルギーが余るとますます考えるようになって、かえって行動しなくなる。そこで私は、家内のあだ名を、〝上空院〟とつけました。昔のことで当人も気に入ったようでしたが、ある講習会でその由来を話した。何をいっても上の空で、呼んでも考えているうちは何も聞えない。だから、上空院というのだといったのですが、それも上の空で聞き流している。そこで敬意を表して、上空院を一種体癖としたのですが、エネルギーが余ると頭の働き、頭の中のいろいろな運動になる。つまり、フロイドのいう性欲の大脳昇華、そういう傾向が特に濃い体癖であります。

ある幼稚園を経営している夫婦で、ご主人が一種で、奥方が七種という組み合わせがあります。七種というのは勝とう敗けまいという捻《ねじ》れ型で行動型である。ある捻れ型の人は、「お使いに行ってくれ」といったら、「ハイ」といって飛び出してゆき、途中から公衆電話で、「どこへ行くのでしょうか」といってきたことがあったが、そういうように考えるよりも行動が早い。茶碗を投げて、後で後悔するなら、初めから投げなければいいのですが、さっと投げてしまうのが七種という行動型であります。こういう一種と七種のご夫婦が組んで幼稚園を経営している。そうすると奥さんの方は「主人は嘘つきだ。旅行するとか、こういうことをするとかいって計画するが、結婚以来一回も実行したためしがない。だから信用できない」という。そこで私が、「あなたはご主人が一種体癖だとご存じのはずだ。だから一種の特徴は余分なエネルギーが頭の運動になって、考えたり、ああしよう、こうしようと思うが、結論が出たら、それが終点なのだ。人に叱言《こごと》をいおうと思って、文句を考えているうちに、いい文句を考えついて、こういえばいいのだと思ったとたんに、気がすんで忘れてしまう。大脳運動が結論を見つけるまではつづくが、見つけたらそれが終点である。行動はしないでいい。何十年も一緒にいたら、よく判るでしょう」といったら、「何十年も一緒にいるから、骨の髄まで嘘つきだということが判った」という返事。「それでは、あなたはベラベラしゃべるが、しゃべった通り考えているかというと考えていない。考えないでやってしまう。骨の髄まで、オッチョコチョイだといわれたらどう思いますか」と聞いたら、「私はオッチョコチョイではない」。「つきまぜると、ちょうどよくなるといいたいのでしょう」というと、「そうですよ。だから夫婦になりました」「それなら嘘つきなんていわない方がいい」といいました。

同じ人間でも、そういう差がある。体型もご主人の方は頭が大きく首が太い。手足が細い、大脳型的な体の特徴をしている。奥さんの方は腰が太い、お尻も太い、足も太い、みるからに頑強。レスリングやったらご亭主はとてもかなわないでしょう。近頃は私がご亭主の味方になっているので、ご亭主は平気で行動しないで理屈をいっているらしいのですが、そのたびに奥方に睨《にら》まれる。やっぱり恐いから、何かで防衛しなければならない。そこで最近は胃が痛くなる。夜中でも電話がくる。またいじめられているのだろうと思う。私が行って奥さんに「あなたは口で喧嘩を売らないけれども、眼で売るのだろう。眼で売らなくても勢いで売るのだろう。亭主に向かって喧嘩を売るなんて、いかに喧嘩の好きな捻《ねじ》れ型でも、度を過ごしている」などといっていると、ご亭主の胃の痛いのがスーッととれてくるのです。私が行って奥さんに苦情をいうだけで治ってしまう。そのうちに、たびたび繰り返すので、奥さんが「あれは私への言いわけではないでしょうか」といいだしていましたが、それは確かに当を得ています。

上下型というのは無意識に大脳的な行動をする。ともかく、余剰エネルギーが大脳昇華するのを**一種体癖**と名づけたのです。一方、喧嘩をすべく無意識に体を捻る——初めは身構え型といっていたのですが——体を捻って行動するのを捻れ型と名づけました。

こちらは、大脳型のように考えてから行動する、また、考えるだけで行動しないというのと反対で、考えないうちに行動してしまう。捻れ型の中で、勝とうとして行動するのを**七種体癖**、負けまいとして、喧嘩した後で強がっているのを**八種体癖**としました。

また、上下型の中で、頭の緊張の反応がすぐ体に表われて、直接胃袋が痛くなったり、下痢をしたりするのを**二種体癖**としました。つまり頭に緊張が起こると、それに応じて体に運動が起こるという、それが速い。だから間脳反射が速いとでもいったらいいでしょうか。いやなもの、汚いものを見るとすぐ吐き気がするというのは、二種の特徴であります。文章を書かしても、「それは本当に不潔な感じであった」とは書かない。「見ただけで吐き気がする」、そう書くのであります。見ただけで吐き気がするというのは、その人の感じであって、他人がそう感じるとは限らないのに、そういう表現をする。「身の毛がよだつ」などと書く。

逆に、**十二種体癖**という鈍い類型の人だったなら、身の毛がよだつというようなことはない。首を切られる、といっても身の毛はよだたないで、切られてだいぶ経ってから身の毛がよだつかもしれない。このあいだも、反応速度の遅い十二種の人に、私が冗談をいったら、それから東京駅を発って博多の駅に着いてホームに降りたとたんに、あれは冗談と気がついてアハハハと笑ったそうです。フランス語で、エスプリ・デスカリエというのだそうですが、それがそうとう遅い人もいるわけで、そういう遅い人には判らない。

二種の人はラヴレターにも、「お腹が空かない。幾日も食べるものが咽喉《のど》を通らないほど貴方が恋しい」などと書く。涙が止まらないとか、冷や汗をかいたとか、血を吐く思いとか、断腸の苦しみとか、そんなわけの判らない感情の表現で自分の体の現象を、人に強いようとするが、それも一種の人だったら想像できるだろうが、他人にはなかなか通じない。

頭で緊張すると大脳の働きになるのが一種体癖ならば、二種体癖は、大脳は緊張しやすいが、大脳では感じないで体で感じてしまう。だから頭がくたびれると、だるくなったり、胃が痛んだり、下痢をしたりします。

一方、エネルギーが余ると食べたくなる体癖は、体の運動でいえば**左右型**。「お腹が空いたわ」と食べる。「シャクに障《さわ》った」といっては食べる。「嬉しいわ」といって食べ、「もう満腹よ」といいながら、また食べるというのが、この類型の人の特徴です。たくさん食べすぎると右肩が上がり、お腹が空くと左肩が上がる。左右類型の人の感受性の特徴は、いつも好きとか嫌いとかいう感情が行動の基本になっています。数学のような客観的な学問までも「そういうのは嫌い！」というだけで済んでしまう。自分の好きな人がマルクスを読んでいるとマルクスの理解者になり、その人が嫌いになると、マルクスも嫌いになる。「そんなのは嫌い！」で何でもかでも片づけてしまう。衛生などとうとうと論じているから、きっと衛生を守っているのだと思うと、手も洗わずつまみ食いしたりする。それでいて誰かがそこにあるものをつまんで食べると、「あーら、汚いわ」などという。そこで左右型の中で、感情が行動の基本になるものを**三種体癖**、感情が直接体に影響するものを**四種体癖**としました。

それから、同じ行動型でも、捻れ型は体を捻って行動するが、**前後型**は何かというと肩をいからして威張ったり、肩を落としてがっかりするというように、肩で表情をつくる。運動しないと不安で、動きながら考える、ラジオを聞きながら勉強する、レコードをかけながら勉強する、いわゆる〝ながら族〟。これを**五種体癖**とし、小さな物音がしても勉強できない、机の前にきちんと坐らないと勉強できない、という〝ながら族〟の反対を**六種体癖**としました。

同じ行動をするのでも、一種の人は行動する理由、大義名分とか、真理とかいうものにぶつからないと、なかなか行動できない。ところが五種は同じように理性的に行動するのに、そういう真理が見つからなくても、行動する面の順序が計画できると、すぐ行動に移れるのです。冒険とか、危険を冒してとかいうが、人から危険に見えることを危険でなく計算し、順序づけてやるというのが、五種の行動の特性です。そういう点は、上下型の人と全く違う。ところが七種体癖になると、理論づけない。行動にも順序がない。感じたら「何くそ」とやってしまって、力で押しまくってゆく。そういう強引さは七種独特のもので、勝とう負けまい、ということが行動のもとになる。

このように行動にもそれぞれ特性があるので、そういうことで類型に何種と名前をつけて分けていったのですが、面白いことに同じような行動特性を持つものは、体型にも共通したものがあるのです。

上下型の人の体型は細長くなっている。左右型の人は丸い、曲線的である。前後型の人の体型は逆三角形をしている。捻れ型の人は胴が太く、角のとれた四角い感じになっている。また、伸縮型の人は、お腹や腰の方が大きくなっている。

ドイツ人のような顔をして美人で有名だったある女優さんが七種だったので、私はその人に「あなたはきれいだけれども海水着は着られない」と話したら、「どうしてそれが判るのか、私はそれが嫌でしようがない」といっていましたが、七種も八種も胴が太いのです。五種は逆三角形で、流行型の美人ショウ・スタイルである。最近はそれが九種の方に移って、〝トランジスター女性〟とかいって、小さくギュッと縮まって、密度のある女の人が注目されるようになってきましたが、そういう伸び縮み型の縮む方を**九**

種体癖、若い頃痩せてきれいで九種と区別がつかないが、年をとるとどんどん太ってくるというのを十種体癖としました。十種はお産のたびに骨盤が開いて太るのが特徴です。九種は体を縮めて行動に移るが、その速度が迅速で特殊であります。骨盤が開いている十種は行動するのに縮まらない、だから悠々と見える。感じ方もゆっくりしている。戦争の当時、食物がない時に、みんな食物を大事にしていました。その中で九種の人は用心深くて、これで幾日分ある、幾日は食えると、ちゃんと整理して貯め込み、その上、万一の時にと、もっともっと貯め込んで持っていました。しかも人にはけっして分けようとしない。

ところが十種の人のところへ行って空腹だというと、「どうぞ、どうぞ」とみんな持ち出してきてくれる。みんな人にやって、空っぽになってから「あら、なくなった、困ったわ」とあわてる。それで私は戦争中、「あのおばあさんは十種だからコーヒーを出してくれるだろう」「あそこへ行ったら肉をご馳走してくれるだろう」というわけで、十種の人の家へばかり立ち寄ったものです。コーヒーの最後の一杯を私にくれた人がありました。そして十年ほど経ってから「あの時家にあったコーヒーの最後の一杯を先生にあげてしまった。あとで主人が帰って来て、コーヒーが飲みたいといったが、なかった。『もう一回煎じてくれればいいよ』といわれたが、それも捨ててしまった。コーヒーは一度使ったら捨てるものだと思っていたからでしょうね。あれが最後の一杯だったと気づいたのは主人が飲みたいといって、コーヒーを探したらなかった時だった」といっていたが、そういうように十種はふだんの生活でも開き、間ののびる傾向がある。心の中にもまた、そういう傾向があります。

女はふつう更年期から太るが、更年期を待たずに、分娩するたびに太るのが十種であります。だから動作をよく見ていると、今は痩せているが、分娩したら太るという人はすぐに見つけられます。最近は体量配分計（一〇〇～一〇四ページ参照）で外側に力がかかる傾向のものを十種としています。太ってくればすぐ判るのですが、細くてきれいな若い頃は、体量配分計でもない限り、なかなか見分けがつかない。でなければ、その人の動作が鷹揚《おうよう》かあるいは特殊な速さがあるか、ないか。いざという時の用心があるか、ないかで見分けます。あれば九種、なければ十種です。

九種の女の人で、昭和四十年頃まで、戦争中に貯めていた木炭を使っていた人がいました。お茶の先生なのだから、炭がなくなったら困るというわけで、庭にみんな埋めておいたのだそうです。二十年分も貯めるなんて、あの人は九種の代表だなどと笑っていました。ところが、その私が、ひょっと考えてみたら、あの当時蓄音機の針を貯めこんでいたが、道場が焼ける時、その中の一包みを持ち出したが、今見るとそれだけで三十年分ぐらいはあったでしょう。もし焼けていなかったら、私は二百年分ぐらいの針を貯めていたということになる。自分の貯めていることは忘れて、炭を貯めていた人を笑っていたが、私の方が九種の代表といえるかも知れません。

そのように、その人の行為を見ないと、九種か、十種か、太るか、痩せるかはなかなか判らなかったが、体量配分計を作って計るようになってからは、十種は外側が重くなる傾向があるので、すぐ判るようになりました。子供のうちからでも、そういう傾向は配分計にちゃんと出ているのであります。

体癖と体癖の観察

こういう体癖現象は、感受性とか心の働く傾向とか、体運動の偏《かたよ》る傾向とかにも現われます。臓器にも関連します。

エネルギーが運動昇華する五種においては、呼吸器が一番丈夫で肺活量が一番強く、呼吸が一番長い。ところが三種においては、胃袋が一番強い。いくら食べても胃袋を壊すことがない。左右型の人は歩く時も無意識に重心側の歩幅が狭くなる。だから目かくしして歩かせると、まっすぐのつもりでも、だんだん重心が偏っている方へ曲がって行ってしまう。左偏りの人は左へ曲がってゆき、右偏りの人は右へ曲がってしまいます。左偏りの人は便秘しやすい。そこで意識して左の歩幅を広くするようにして歩くと、大便が出てきます。だから体運動の偏りを正すことによって便秘も治ります。

何かあると泌尿器《ひにようき》に変動の表われやすい人は、体が捻《ねじ》れています。小便が出ないような場合、左の内股の硬直を弛《ゆる》めるように押すと、小便が出てきます。また、お酒を飲みすぎたような場合、積極的に左右に体を捻ると、サーッと小便に出て酔いが覚めてしまいます。このように、体癖は臓器の運動とも関連しております。

私も初めは臓器の働きの特性とか、病気の特性とかで体癖を分けていました。この人は胃腸組、胃腸にすぐ変動が表われる。この人は泌尿器組、緊張するとすぐ泌尿器に出る。運転試験場に入って試験をうけようとしたら小便にゆきたくなり、自動車に乗ったら、また尿意を催したなどという人がいたが、やはり捻れの人でした。

もっと昔は、あの人はキリン組、豹《ひよう》組、河馬《かば》組、白熊組、オットセイ組というように分けていた。私がオットセイみたいだといったらニコニコしていたが、十年ぐらい経ってから「私をいつかオットセイみたいだといったでしょう」とカンカンに怒ってきた女の人がいました。今頃どうしたのかと聞いたら、「動物園で今日初めてオットセイを見た。そしたら急に腹が立ってきた」といいました。

百人からの人を、四十年も毎日指導していると、同じ風邪をひいても、いつも胃腸をこわす組、すぐ咽喉から腎臓にくる組、気管に残る組、というように、ある一定の方向がある。生活指導や整体指導をするのに、そういう個人の特性を知っていないとやってゆけないので、そういうことで分類していたのです。

分類しているうちに、それと体量配分、体運動の偏り習性、感受性の偏り反応、それらを左右する要求の方向が、みんな一つのことになってきたので、そういうものに体癖という名前をつけ、十二種に分類したのであります。

これが今の体癖の始まりであります。体癖という名前はずいぶん考えた。私はズーッと体質という言葉を使っていたが、偏《かたよ》り反応ということは過敏反応という面を持っている。犯されやすいというのだから、むしろ体質というよりは素質というものに相違ない。そこで、十二の体素質というように区分していた時代もありましたが、今から十八年ぐらい前に、それを体癖素質ということに決めました。おそらく日本語の辞書にはないが、体癖という言葉が一番ぴったりしているように感じたからです。だから「体癖」というのは私の作った言葉ですが、それ以前はないのに、そのわりには誰にも判りやすい。使いやすい。これは漢字の魅力だと思います。

体癖と読みながら、体の癖とは何だろう。頭をかいたり、腕組みしたりする癖のことだろうか。それともいつも左の靴の踵《かかと》ばかり減ることだろうかと考える人があるかも知れません。あるいは蕁麻疹《じんましん》が出るとか、おできができやすいとかいう癖を考えている人があるかも知れません。そういうものも、もちろん全部含んでいるのです。たとえば何かあると頭をかくとか鼻をこするとかいうのは、前後体癖の人の特徴です。額をポンと叩くなんていうのは捻《ねじ》れ体癖の特徴であります。腰かけて足を机の上にのせたり、すぐ寝そべるのは上下体癖の人がよくやります。

だんだん、観察や研究が進んでいくと、今度は体癖と顔の形はどうか、上下の顔に上下の体がくっついていたら、これは上下型であるが、もし上下の体に四角い顔がくっついていたならば、これは純粋の上下でなく、上下捻れというべきものである。過敏な半面に鈍感さがあり、争う実力があるのに争うのは面倒臭い。争いを顔には少しも出さない、清濁併《あわ》せ呑《の》むといったような親分の顔です。

顔は、時々その人の時間的な問題や、あるいは潜在している体癖状態などを表わしているが、体と顔をくっつけると、もう少し体癖の読みが濃くなります。

また人間が、咄嗟《とっさ》の時にとる姿勢とか、顔の表情というようなものは、過敏反応による偏り反応が、ある部分に強く表われるので、体癖がはっきり出てきます。「はい、ほんとうにそうでございます」とかいっている顔でなくて、咄嗟の時に「何です、それ居なおった時、びっくりした時、怒った時、言いわけしている時、負けた時、威張る時、その人の理性的な動作以外のことで行動しようとした時には体癖素質が丸出しになるから、咄嗟の時の動作の方が体癖的な特徴をつかめるというようなことも判ってきました。

そして、だんだん、潜在体癖を、その動作観察で見るということもできるようになりました。

「実は電車が混んでいまして、乗ろうとしたら乗れなくて、その次に乗ろうとしたら隣の人が押しのけて乗ってしまったので、私の足を入れる所がなくなってその電車にも乗れず、その次も後からあんまり押されるのでふん張っていましたら電車の戸がしまってしまいまして、四台目にやっと乗れて……いや、もうひどいもので……」とまず言いわけしないと本題に入れない人がいる。これは二種体癖の特徴。約束の時間に遅れても、何でもないような顔をして、つかつかと入ってきて、知らん顔して坐り、もし咎《とが》められたら何か言おう、などというのは捻れ型であるというように、その人の動作や言うことから体癖を見るように、いろいろな体癖の観方ができてきました。

体量配分計

けれども体癖の観察にそういうのは主観的になる恐れがある。たとえば、誰もが重心のある方の肩を上げているかというと、体癖が違うと、下げていることもある。また、重心のある方の踵《かかと》は後にひいていることが多いが、人によってはそうでないこともある。また、ハンドバッグをかかえる時は、重心のある方でかかえるが、伸ばす時、下げる時は重心のない方で下げる。遠いものは重心のない方の手を伸ばしてとり、重い物は重心のある方で持つというのは誰もやることであるから、左右どちらに重心があるか、というこどなどは、その人の体の使い方をみれば判るけれども、どの程度偏《かたよ》っているかということになるとむずかしいのであります。

そこで、体量配分計を作ることになりました。（左ページ参照）

人間の体運動というのは大部分が立姿《りっし》によって行なわれています。立姿というのは、全部足の裏に荷重がかかる。足の裏も一カ処ではない。上図のように拇指《おやゆび》の根元と踵と

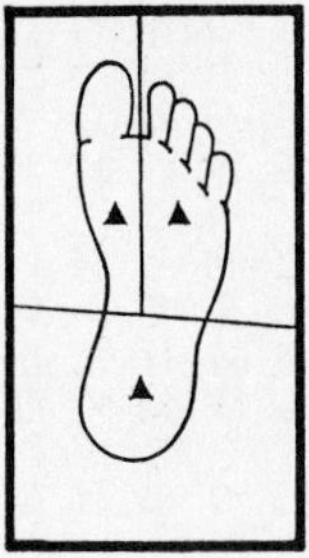

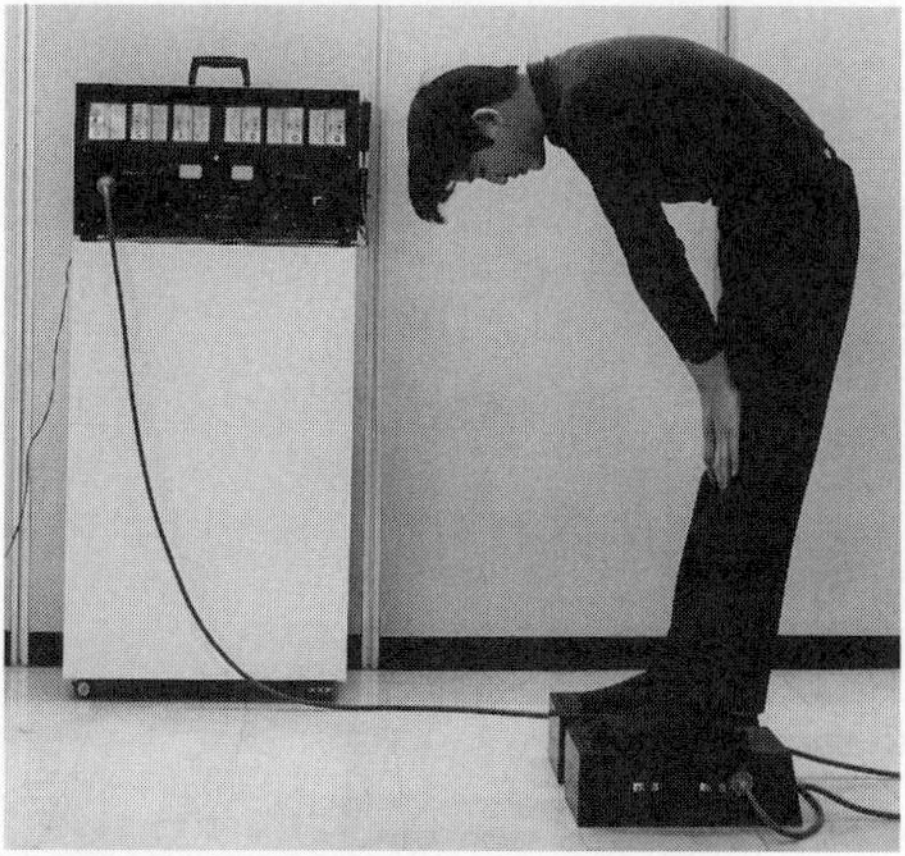

●体量配分計とその測定

他の四指の三カ処で立っている。

ところが猿は二カ処です。拇指の根元に力が入らない。だから手が長く、手が足の補助をしないと安定しないのです。人間は第一蹠骨《しょこつ》という足の拇指《おやゆび》が猿より発達してきて、三点支持で立っています。だから人間は足の機能から離れて、手を使うことができるのです。手は手で、拇指と他の四指が対立して働くから、いろいろな技術が使える。

人間が立姿の動作をいろいろに変え得るということは、この足裏の三カ処の力の移動によって体運動が行なわれるからです。だから足の外側へ力が移ると転びそうになります。一生懸命支えていても、その限度を越すとひっくり返ってしまうが、これが内側だったらいくらでも頑張れる。そこで足裏の体量配分の移動状態及びその移動差をしらべていったならば、ふだんとりやすい姿勢や、無意識にとってしまう姿勢や、運動の偏る傾向を数字に表わして計ることができるのではないか、それなら、どの程度偏るかということも判るのではないかと、そういうことから体量配分計を作ることにしました。

体量配分計の読み方については後述しますが、配分計の上に足裏を固定してまず立姿における配分状態を計る。そのまま、手を挙げる、左右に倒す、左右に捻《ねじ》る、しゃがむ、お辞儀をするというように、いろいろ意識動作をさせると、その人の配分が、立姿配分に対してどう移動するか、どういう具合に偏る傾向があるか、その偏る度合を数字的にしらべることができるようになりました。

そうすると前後体癖といっても、前の方が後に比べてどれぐらい重いかが判る。左右どちらかに偏っているといっても、右にいくら、左にいくら、と数字的にその度合が判る。そこで体量配分計を使って体運動の偏る傾向がはっきりしてきたのであります。左右とか、前後とか、捻れとかいうのは、配分計にのればすぐ判るが、伸び縮みとか、時間的な速度の速い遅いとかいうものになるとむずかしい。上下もむずかしいのです。

前後型というのは腰から前後する。上下型というのは首で前後する傾向がある。だから前後型の変型と見られないこともない。それではどこで見分けられるかというと、手を挙げる動作と、お辞儀、つまり前屈動作をすることによって判る。前後型というのは、ふだん腰から前屈しているので、前屈動作でそれ以上腰を前へ屈めるとのめってしまうので、その分だけお尻を後へやってお辞儀をする。そこで配分計では、前屈姿勢をとると後が重くなる。

ところが、首だけ前後している上下型の人は、前屈すると前が重くなる。だから体量配分計にのせれば、上下か前後かということはお辞儀をさせてみれば判るのであります。ところが時間の変化とか、緊張、弛緩《しかん》、伸び縮みということは、人間の運動に実際あるのに、体量配分計では計りにくい。

そこで丁寧にその特徴をしらべていったら、腸骨の縮んでいる人達ほど、縮む速度が速い。腸骨が拡がっている人達ほど、縮む速度が遅い。そこで腸骨状態の開閉、力が内にかかるか、外にかかるか、ということを配分計においてしらべればよい、ということが判りました。重心が内側にかかる傾向があるのを閉型、外にかかる傾向のあるのを開型とする。人間の動作は後が重いほど、弛緩する。後も外側に重いほど、不安定になるが、内側に力がかかるほど安定してくる。そこで内側の前に力がかかるほど緊張するのであります。

だから閉型の特徴は縮み型。いつも緊張していて、収縮動作が速く、骨盤も内側に縮みが強い。その逆に開型は、骨盤が開きやすく鷹揚《おうよう》である。伸び縮みも体量配分計で計って、重心が内にかかるか、外にかかるかによって、開型、閉型と見分けることができることを知りました。

また、体量配分を何度計っても変化がなく、固定しているという鈍い型、その反対に計るたびに変動が多く、十回計ったら計るたびに変動するという過敏型というのがあることも判り、そこで過敏とか鈍いとかいう遅速型も、体量配分を長期測定することによって知ることができる、ということも判りました。

体癖研究の課題

こうして十二に分類した体癖が、体量配分計によって数字的に測定し得ることが判ったので、私は体癖素質の追求に集注し始めたのですが、体癖と題して整体協会の機関紙である『全生新聞』に発表したのは、昭和三十年の十月号だったと思います。私は体量配分による体癖研究に見通しができるまでは「体癖」ということをあまり説かなかった。しかし、この体癖研究の仕事は一代ではとてもできないから、みんなで積み重ねて行なって、何代でもかかって、体癖素質というものがはっきりするまで研究をつづけてもらおう、あわせてその使い方、活かし方も研究してもらおうというので、整体協会を研究機関として残すべく、社団法人にしました。だから、社団法人になってからの整体協会は、体癖研究団体といってもいいくらいに、これに打ち込むようになりました。しかし整体協会は、矯正体育の普及という義務を背負っているので、活元運動の会や、整体指導の会や、潜在意識教育の会やらを、いろいろ主催して、法人のやるべきことをやってきていますけれども、実際問題としては、むしろ体癖研究に徹底しようというのが、社団法人にした本当の理由なのであります。そういうわけで、整体協会と体癖研究とは、切り離すことができないのであります。

第五章　整体体操と体癖修正

——体量配分計とその測定法
——体量配分表の見方
——整体体操の設計

(A)体量配分計とその測定法

前章でも説明しましたように、人間の体運動において、有意運動にも含まれているところの無意運動習性を明らかにするために、左図のように足裏に垂直に加わる力を左右とも三カ処（拇指《おやゆび》・小指・踵《かかと》）に分割し、合計六カ処において同時に測定する計量器が、「体量配分計」であります。

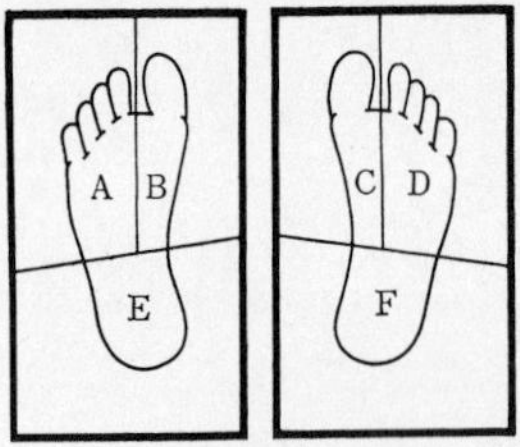

体量配分の測定は、この台上において、立姿のままいろいろの動作を行なうたびに、ストッパーをかけ、そこに表われる数字を記録してゆくのであります。すると、その人の体量配分と配分比、及びそれらの移動方向の特性を究めることができます。

また、長期測定することによって、体癖としての偏り運動習性や体周期率特性も知ることができます。

体量配分表の見方は、難しいので、その一例をあげて、説明しましょう。

(B)体量配分表の見方

体量配分表を見る場合には、まず「緊張立姿」と「弛緩立姿」とを比較します。一一一ページの表にあげた人の配分は緊張立姿では外側が重い。そしてトータルでは前が重い。すなわち前後差では前が重く、前も外側の方が重いという配分状況です。弛緩立姿では後が重いが、前はやはり外側が重い。こういう外側と後が重くなる傾向は開型の特徴です。

緊張立姿と弛緩立姿の前後差を見ると、緊張立姿では前が重いが、弛緩立姿では後が重いというように変わってきている。測定する時に最初は緊張した、そして終わりになると弛緩した、ということがこの表には表われています。緊張立姿を測定した時には緊張状態であったが、弛緩立姿を測定する時には弛緩状態になった。

この表から見ても、緊張している時は前が重く、弛緩すると後が重い。配分の前後差を見ただけで、その人が緊張しているか弛緩しているかが判ります。これをもっと詳しく見てゆくと、緊張状態では前の外側が重く、弛緩状態では後に荷重がかかっている。これらのことを比較検討してみると、これは平凡な開型の状態といえます。

さらに細かにしらべてみると、両手を挙げる「**挙上動作**」の場合には、上下型や前後型以外の体癖では、後が重くなるのが普通です。この人は挙上動作をしてもほとんど配分が変わらないが、緊張立姿と比べて、やや後が重くなっています。だからこの人は五種でも上下型でもない。

挙上動作で前が重くなるのは、五種的な前屈《まえかが》み傾向と、大脳や首の緊張した上下型とがあります。だから、挙上動作で前が重いという場合には、普通の緊張した状態ということも考えられるけれども、弛緩しても前が重い場合には、大脳や首の緊張した上下型か、前後型の前屈傾向の表われか、首が硬いか、首が前にいっているような状態ではないかということが考えられるのです。

この人は、外側と後に荷重がかかる開型の体量配分状況を示しているとしても、これでは少し後が重くなりすぎています。けれども前後型でも上下型でもないことだけは明瞭です。逆に非常に後が重い。このように、どんな姿勢動作をしても、後が重いというのが開型の特徴です。

「**前屈み動作**」の時に、前が重くなれば上下型、後が重くなれば前後型です。この人は少し後が重くなっています。けれども緊張立姿の配分に比べて、前後型とか上下型といえるほどその差は大きくない。五種というのは腰が前屈みしている。そのために余分に

動作	A	B	C	D	A+B	C+D	A+B+C+D	左足 A+B+E	右足 C+D+F
	E		F		E	F	E+F		
緊張立姿	8	5	4	8	13	12	25	21	20
	8		8		8	8	16		
挙上動作	8	4	4	8.5	12	12.5	24.5	19	22
	7		9.5		7	9.5	16.5		
倒す動作(右)	3	1	3.5	10	4	13.5	17.5	5.5	35.5
	1.5		22		1.5	22	23.5		
倒す動作(左)	9.5	6	3	9	15.5	12	27.5	26	15
	10.5		3		10.5	3	13.5		
捻転動作(右)	4	7	1.5	4	11	5.5	16.5	27.5	13.5
	16.5		8		16.5	8	24.5		
捻転動作(左)	9.5	1	9.5	3	10.5	12.5	23	14.5	26.5
	4		14		4	14	18		
しゃがむ動作	5	12.5	14	3.5	17.5	17.5	35	19.5	21.5
	2		4		2	4	6		
前屈み動作	7	5	5	6	12	11	23	21	20
	9		9		9	9	18		
弛緩立姿	4	2	2	5.5	6	7.5	13.5	19.5	21.5
	13.5		14		13.5	14	27.5		
片足で立つ動作	14	9	10	18					
	18		14						

注　(1)　54歳の女性　(2)　数字はkg.

後に反《そ》る。それで前後型といわれるのです。

前屈み傾向があると、お辞儀するのに、お尻を後につき出して頭を下げます。初めから前屈みしているので、さらに前に屈むと倒れそうになるので、そうしないためにお尻を後にやるようにしてお辞儀をするのです。それを配分計の上でやると、後が重いという配分状況として出てくる。ところがこの人の場合には、前屈み動作をしたのに、後はごく少ししか重くなっていない。前後差だけを比べても依然として前が重い。これもこの人が前後型でも上下型でもないという証明になります。

「捻転動作」の配分を見ると、右に捻《ねじ》った場合に後が重く、左に捻った場合には前が重い。同じ捻るという動作をしても、片方は後が重くなり、もう一方は前が重くなる。前が重い方が、緊張して捻らなければ捻りにくい側です。後が重いのは、楽に捻ったということであり、この人の腰は右に捻れる傾向があるといえます。けれども他の動作の配分では、捻れる傾向はあまり明瞭に出ているとはいえません。

左右に**「体を倒す動作」**での荷重変化は共に大きく出ていますが、左に倒せば左が重く、右に倒せば右が重いというように、倒した側が重くなるのが普通です。この場合もその通りになっています。ただ、前後のバランスを見ると、右に倒した時には後が、左に倒した時には前が重くなっている。これで見るかぎりは、この人の腰は右の方に捻れています。左右のバランスは、ほとんど同じです。

するとこれまでの体運動の傾向からいうと、この人は右捻れ的な傾向を持っていると、かなりはっきりいえます。実際にやってもらって観察すれば、いちばん判りやすいのですが、左右に倒す動作で、右はよく曲がるが左は曲がりが足りないということが配分表からはっきり読みとれます。左右の荷重の移動を見ると、右に倒した時の右足には充分荷重がかかっているが、左に倒した時の左足には、あまりかかっていません。右には倒せるが、左には倒しにくいということが表われています。差引き九・五キログラム(35.5 kg—26 kg) だけ余分に右に倒れているわけです。この場合の前後差の状況は、右は後が重い、左は前が重い。

左右に体を倒した場合でも、この人は右の方が楽に余分に曲げられる。捻っても右だと楽にできています。そうすると、開型だと断定するには少し疑問が残ります。少し右の方に捻れる傾向があります。

そこで、本当にこの人は開型だろうかということを「**しゃがむ動作**」で見ます。しゃがんだ時に、両足とも内側に荷重がかかっているが、他の動作の配分では、内側と外側の数値は同じぐらいである。しゃがんだ時だけ前の内側が重い。

これは普通なら閉型のバランスです。ところがこの人のしゃがみ方をよく見ると、前しかがごく少し踵《かかと》に配分計で、前に屈んで体は、後が六キログラムと、三五キログラムがついていないという状態です。意識しないでしゃがめば、踵はもうつかないくらいで、むしろ中腰に近い状態です。もし、これを踵がピタッとつく所までしゃがんだら、ひっくり返るかもしれない。

開型の人は、踵《かかと》をキチンとつけてしゃがむとひっくり返ってしまうのです。この人も踵をつけるとひっくり返るので、余分に前に目方をかけている。そのため、この配分は最も緊張過度状態が出ている。気がつかないと閉型に間違えるかもしれないが、他の動作の配分状況から推定して、これは開型の中腰状態と見るべきです。

この人が、踵をつけてひっくり返るとしたら、どちらにひっくり返るでしょう。真後ろでしょうか、右でしょうか、左でしょうか。

この人は捻った時も倒した時も、右は楽にできるが左はやりにくい。ふだん楽にできることには楽に抵抗できるが、運動がスムーズにゆかない側は、抵抗するにもスムーズにゆかない。そこでやりにくい側、すなわちこの人は左に倒れます。このことをもっとしらべるために左右差を丁寧に見てみると、右の方が二キログラム重い。

しゃがむ動作で最も緊張した場合でも、右に力をかけている。左の方がそのぶんだけ負担が少ない。それだけに左に負担をかけたらひっくり返ってしまうのだから、こういう場合は左から倒れていきます。

こういう理由でこの人は開型だといえます。しかも捻れている。捻り動作のバランスを見ると判りますが、右に捻れている。

けれども、最終的に開型の七種だと判断するには、ただ一つ違う要素が混っています。それは片足で立つ動作では、ふつう内側の重い側が安定しているのです。この人の片足で立った場合を見ると、ともに外側が重い。右足で立っても左足で立っても不安定です。そうすると右に捻れる傾向というのは、足の故障ではないだろうかということが考えられます。

片足で立った時にフラフラするのは、足の外側が重いタイプなのです。けれども一方ではフラフラしても、重心のある側で立つと安定するのが普通なのです。ところがこの人は、両足とも不安定な状態です。そうすると足に異常があるのではないだろうか、足に異常があって、そのために捻れているのではないだろうか、あるいは腸骨（一四八ページ参照）が片側だけ拡がっているのではないだろうか、ということが考えられます。

そうするとこの人の捻れは捻れ異常であって、捻れる素質を持っているからではない。また、腸骨に変動がある場合も、開異常であって開型素質とはいえないということがあるので、一応当人の体をしらべてみると結論が出ます。

この人は、開型は確かでしたが、捻れる傾向は股関節の異常状態でした。股関節が捻れている場合には不妊症がつきもので、この人もそういう傾向があるのではないかと思い質問したところ、かつて妊娠したことがないということでした。

腸骨の開閉の動きの差が激しい場合には、開閉的な素質が強いのではないか、と考えていいのです。

この人のしゃがんだ時の配分と、緊張立姿の時の配分とを比べてみると、前の内側の荷重がずいぶん大きく変動していますね。前後動作や左右動作の荷重の変化に比べて、前の内側と外側の動きが大きい。ですから慣れてくると、こういう配分を見ただけで開型だということが判ります。

体量配分計は、整体協会の本部道場また各支部などに置かれています。体量配分計を使っていると、体重計など豚を計っているようでおかしくて使えません。(もし体重が知りたかったら、六個の秤を合計するとよい)
皆さんも、体量配分計で自分の体運動特性を測定してみてください。そして、隠れている体構造の歪《ゆが》みをしらべてから、それが日常生活にマイナスになるようだったら、整体体操を設計してもらうとよいでしょう。

(C)整体体操

誰でも、体の動きに偏《かたよ》り運動が無意識に行なわれます。その主なものは体癖です。職業という分業が行なわれるようになって、偏り運動の繰り返しです。体のある部分が余分に使われ、また使われることが足りない部分があるということです。

現代人は偏り運動がその生活の主体になっております。それゆえ、その調節が必要です。自動車のタイヤでも、片べりを調節すると長くもつのです。人間の場合は偏り運動による偏り発育、偏り疲労によって、いつのまにか体の正常な動きを歪《ゆが》め、姿勢も曲がってしまう。それを正すために整体体操を行なう必要があります。

その方法と特長をあげますと、

(1) 偏り運動調整を対象にするのであるから、部分的偏り体操である。全身を平均して使う体操でない。

(2) 偏り状態に対して行なうのであるから、各個人がみな異なる。まったくの個人用体操であって、一人一人、体量配分計によって得た運動習性に適《あ》わせて設計する。

(3) 癖が治ったら止めなくてはならない。偏り運動が変わったら、変えなくてはならない。

(4) 脱力を目的としているため、仰臥《ぎょうが》でやる体操である。立姿では脱力しない部分の方が多すぎる。

(5) 四十秒で終わる。

(6) 呼吸の間隙《かんげき》に動作する。

(7) 呼吸の間隙を使うのに失敗したらすぐ立ち上がること。
一日一回しか行なってはならない。やり直しはいけない。

(8) 就寝前に行なう。脱力のゆきつくところは眠りである。眠りを最大限に活用するためである。

(9) 動かし方に目標があるのではなく、動き終わっての体の弛《ゆる》みの変化が大切である。ポカーンとして、普通の呼吸にかえるまでの時間に整体が行なわれる。
これらが整体体操の特色である。

他にスローモーション体操もある。速い動きは遅い動きほど、力は費やされない。また、無意識運動を利用する体操がある。これは活元運動として前述しました。

整体体操のやり方

■基本体操

基本体操は、一応全身の脱力をはかるという目的のための体操です。全身が完全に弛《ゆる》むはずの仰臥の姿勢です。その代わり一番力を入れにくい。この形で力を一部に入れたまま保つということは、全身の力を動員しなければなりません。そのために、簡単な方式で全身の張弛《ちょうち》に影響することができるのです。

まず仰臥。次ページ写真のように頭と肘《ひじ》と踵《かかと》で息を吐きながら体を持ち上げるようにしながら、ギューッと全身に力を入れます。(あまり高く持ち上げるのはよくない)息を吐き終えた瞬間にポッと力を抜く。その後の呼吸が正常に戻るまでそのまま瞑目《めいもく》、ポカンとしている。

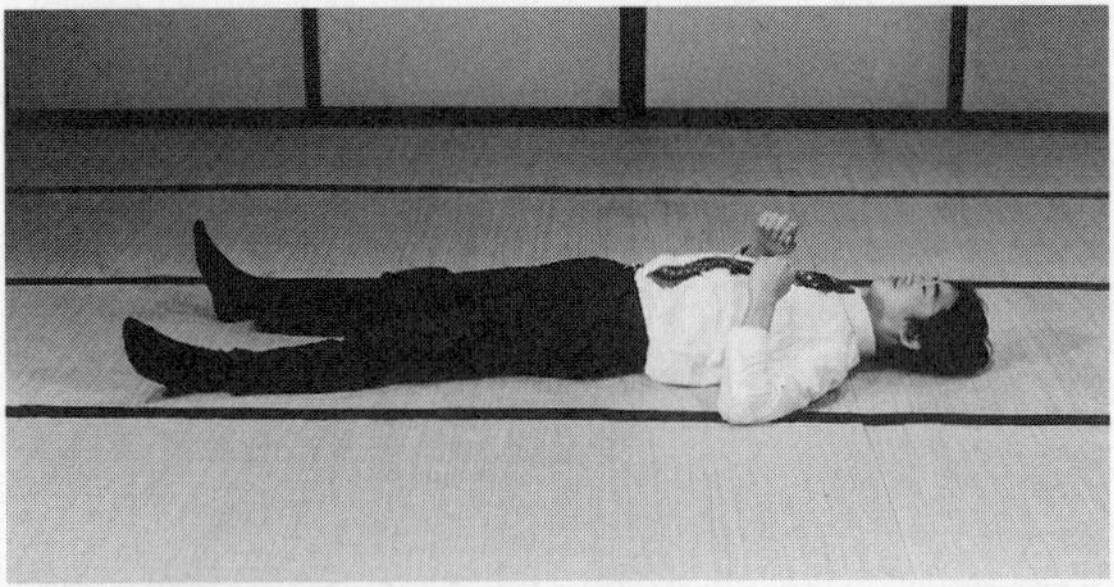

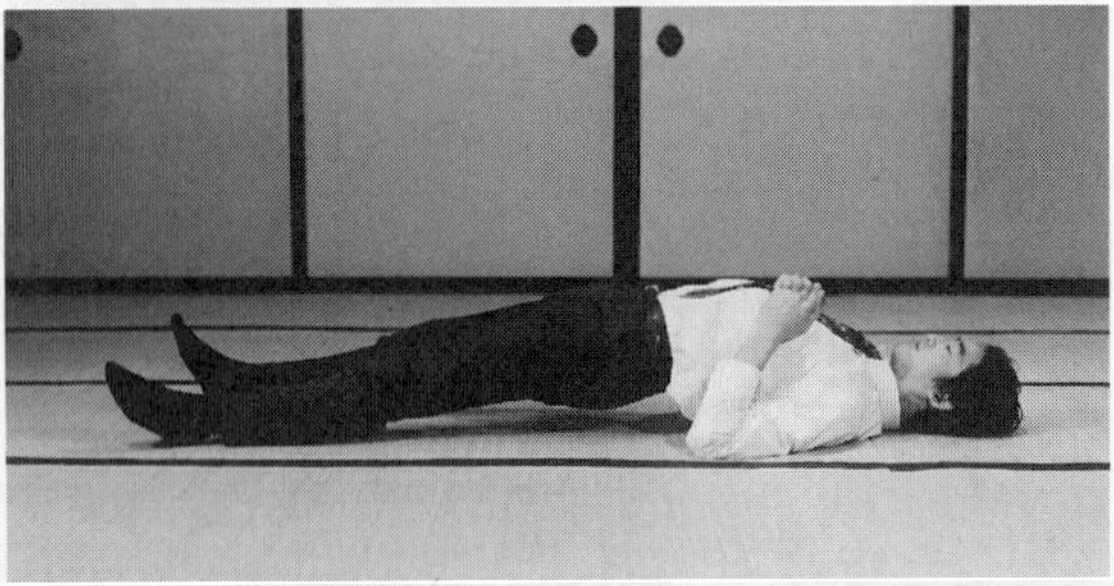

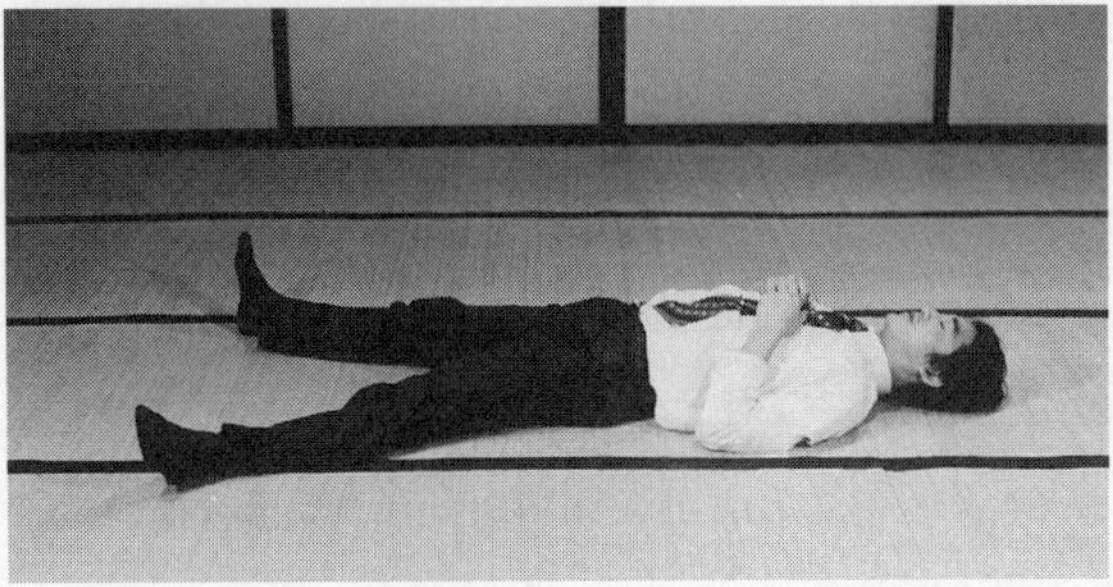

注

①基本体操は特に初めて練習する人が呼吸の間隙《かんげき》に力の入れ抜きを行なうことを体で憶《おぼ》えるために、無難な方法です。

②呼吸の間隙を使うのに失敗したらすぐ立ち上がること。

③生きていて全身が硬直、疲労しているという人はいないといっていい。今まで調べてきましたように、それぞれの体癖によって疲労部分が異なるのですから。

▼第一種体操

第一種体操は、頭がつい働いてしまいやすい人のための体操です。たとえば、食物を食べるのにでも栄養価値を調べ、その高いものは旨《うま》い旨くないにかかわらず、快く食べる如き人のためと考えればよろしい。

大脳作用の緊張に伴う姿勢なので、この力を抜く体操。目標は腰椎《ようつい》一番、腰椎五番と腸骨の上下移動及びアキレス腱《けん》。就床直前にこの体操を行なえば、疲れが抜けて頭が冴えるか、全身が弛緩して深く眠るかどちらかになります。そして眠くなってから寝ます。頭の冴えた人は余力多く、まだ眠るに適さないのです。眠くなってからもう一度行なうこと。（左ページ写真参照）

(1) まず仰臥して全身を弛《ゆる》め、深く息を吐いて気を鎮《しず》め、

(2) 足の内くるぶしが腸骨の外側と平行する線まで足を開く。

(3) 徐々に息を吐きながらアキレス腱を伸ばすようにして踵を上げる（この時鳩尾《みぞおち》に力が入らぬように）。吐ききった瞬間にストンと足を落とす。急に力が抜けなければならない。

▼第二種体操

第二種体操は、頭が疲れやすい人のための体操です。頭が疲れると、無意識に足を机上にのせて休むでしょう。これは大脳過労のせいですから、この傾向を変えながら休める体操です。（左ページ写真参照）

(1) 仰臥は、「第一種体操」と同じ。それに上半身の動作が伴う。腕を写真のように畳にすりつけるように引き上げる。

(2) 「第一種体操」の下半身の動作と同時に、肩胛骨《けんこうこつ》を内側に寄せるようにして胸部を畳より少し持ち上げる。息を吸いきった瞬間にバタッと落ちるように、力を抜く。この場合の体の支点は頭、両肘《ひじ》、尻。力を抜いたらしばらくそのまま。

注 肩胛骨を内側に寄せるのが、たいていうまくいかない。そちらに気を奪われると、アキレス腱が伸びない。両方が上手にいかないと、力が全身抜けず、体量配分の変化も少ない。

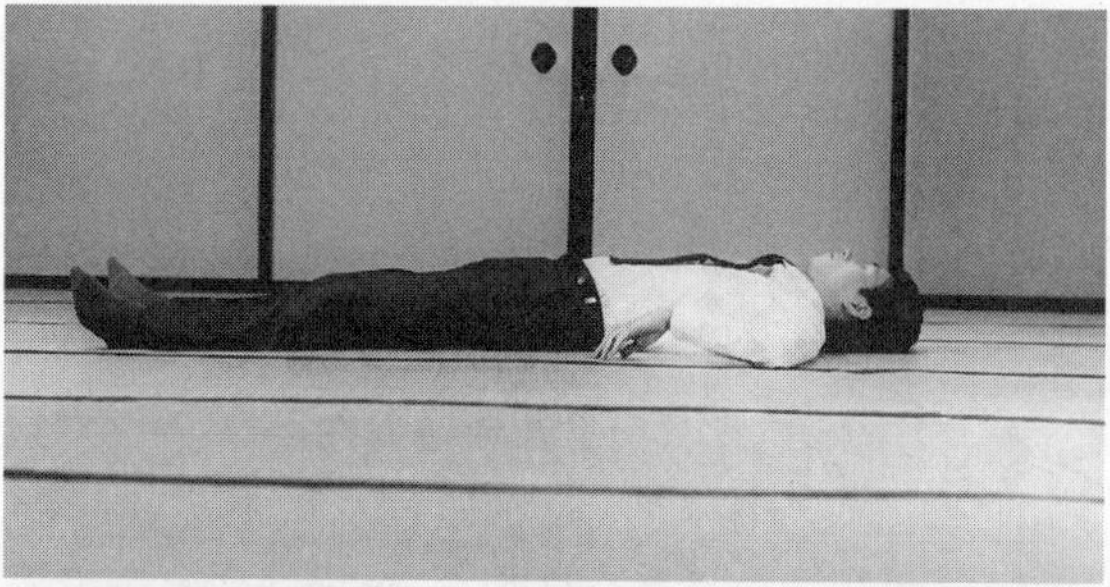

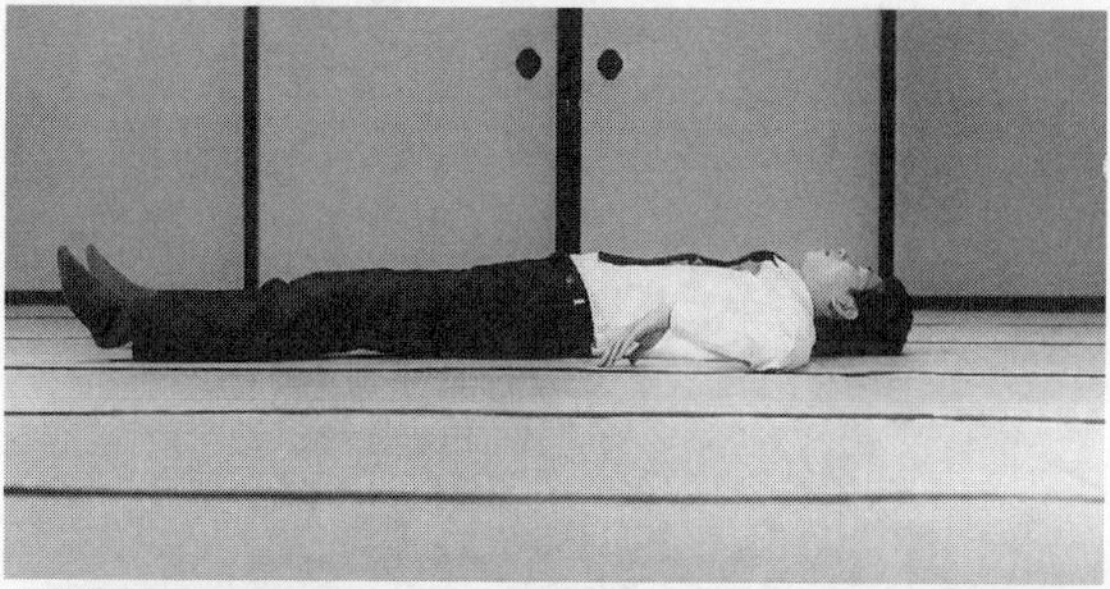

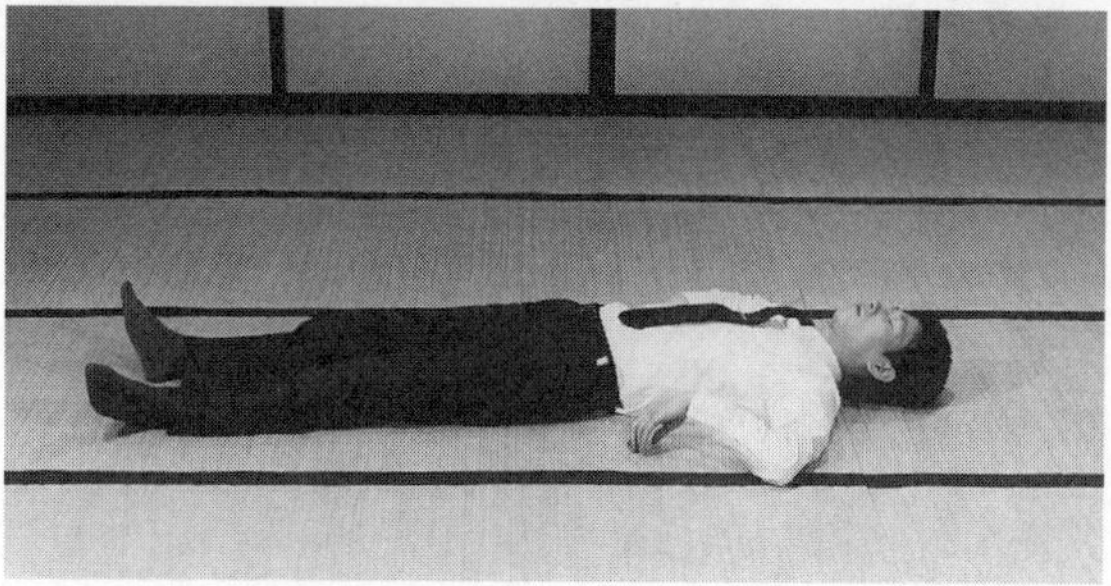

▼第三種体操

第三種体操は、食べても食べても腹が空き、食物を少なくすると、すぐ元気のなくなる人のための体操です。

消化器緊張に伴う姿勢があるので、この力を変える体操。目標は腰椎四番、二番、胸椎八番と腸骨の左右の上下移動。（左ページ写真参照）

(1) まず仰臥、両足は腸骨の幅に開き、体量配分の多い方の足を写真のように手に持って引き上げる。（息を吐きながら）

(2) 力が腰椎二番に及んだ時、吐ききった瞬間に足裏内側が畳にバタッと落ちれば成功。

(3) しばらくそのまま。

▼第四種体操

第四種体操は、疲れると、すぐ胃腸のはたらきに異常を起こしやすい人のための体操です。

消化器機能過労によるものゆえ、この傾向を変えて休める体操、別名「食べすぎ体操」と呼ばれています。食べすぎた後、この体操を行なって、気分がよくなったからといって、また食べるのは、あなたの自由です。(左ページ及び次ページ写真参照)

(1) 仰臥、まず体量配分の多い側の足を、写真のように、腰椎二番に及ぶ角度に開き曲げる。これが準備。

(2) 開き曲げた足を、畳から三センチくらい持ち上げる。これで力は腰椎二番に及ぶ。次に反対側の足を持ち上げる。これで、二に及んだ力が腰椎一番に及ぶ。(息を吐きながら)

(3) 吐ききって吸いに移る瞬間に、伸ばした方の足だけを先にストンと落とす。よりいっそう腰椎二番に力が入る。

(4) 一呼吸後にその逆側を落とす。しばらくそのまま。

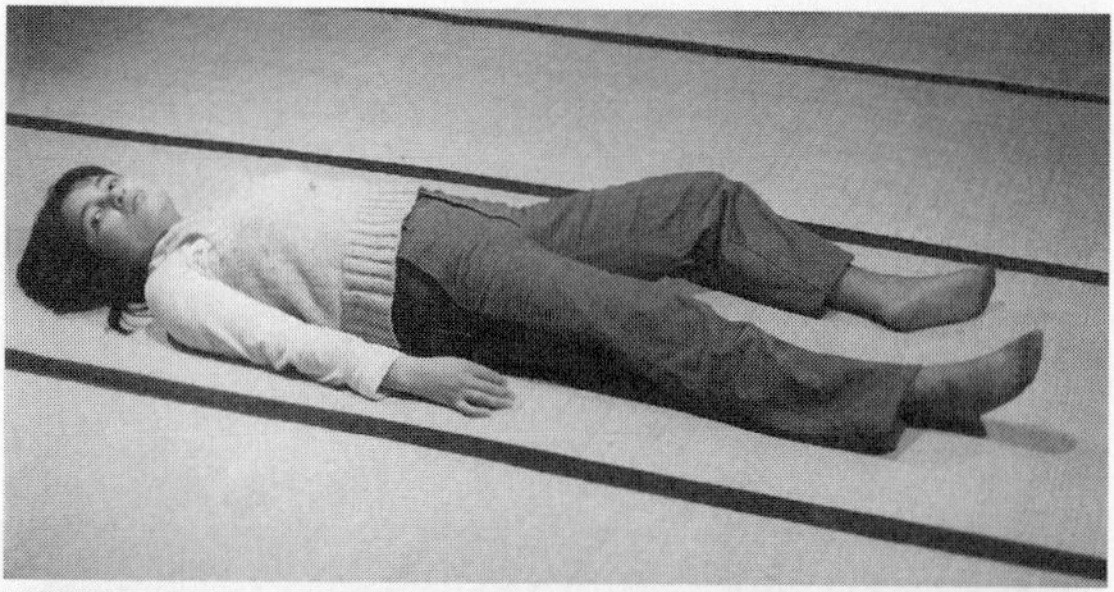

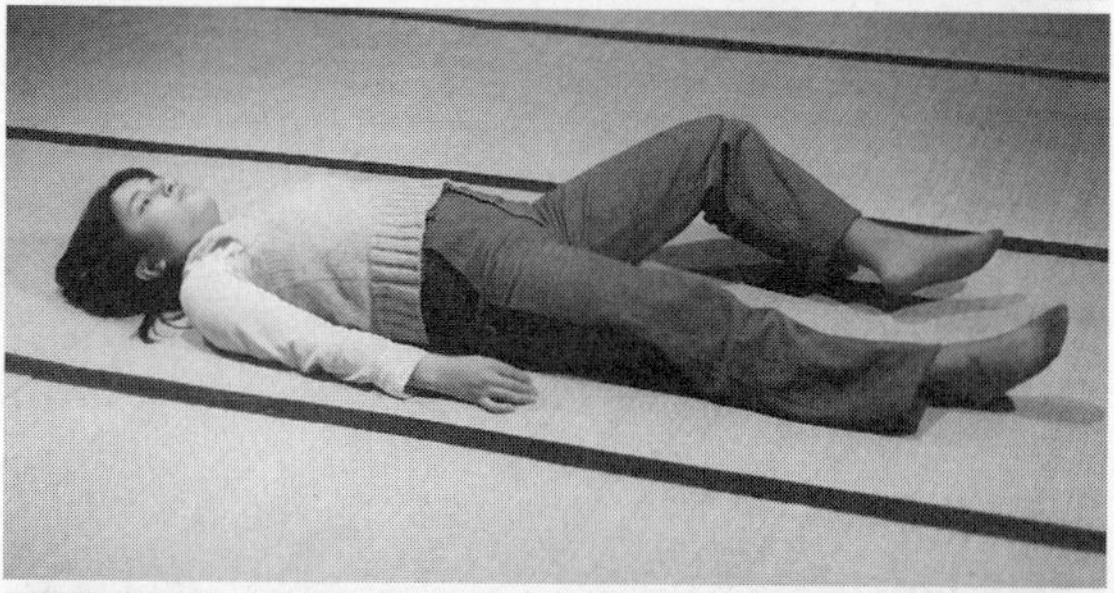

＊前ページ上から下へ……という順序で行なう

▼第五種体操

第五種体操は、エネルギッシュで疲労感に鈍感な人の体操です。呼吸器緊張に伴う体勢であり、エネルギーの鬱滞《うったい》しやすい体癖現象のための体操。目標は腰椎一番と恥骨。エネルギー鬱滞を急速な体の動作で分散させるのが目的。落とした後の姿勢が、写真のように体が反りかえっている恰好《かっこう》になればなおよい。（次ページ写真参照）

(1)　これには準備体操が必要。まず仰臥、両足を屈して手でかかえ、胸に押しつけるようにして、ポッと力を抜くこと二、三回。

(2)　そのまま、足の下方に力を入れ、手で耐える。息を吐きながら、力が腰椎一番に集まったら、畳をけるように手を離す。下に弧《こ》を描いて落ちるようであれば成功。上にポンとはね上がって落ちたら失敗ですから、すぐ立ち上がること。

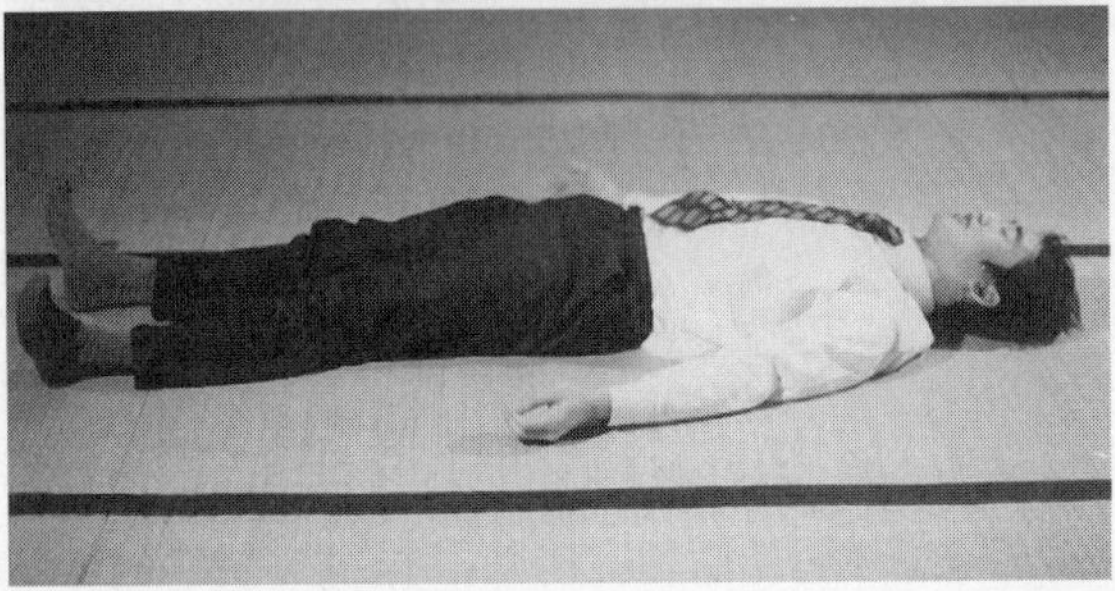

▼第六種体操

第六種体操は、疲れると呼吸器に影響しやすい。つまり、風邪をひきやすい人の体操と思えばよろしい。

呼吸器系が過労しやすく、エネルギー欠乏のために生ずるので、その集注を促す体操。

（次ページ写真参照）

(1)「第五種体操」と同じく準備体操が必要。息を吐きながら、その足を次第に伸ばし、写真の形に保つ。

(2) 吐ききって、吸いに移る瞬間にポッと力を抜く。吸いきった瞬間に踵《かかと》が畳に落ちる。

(3) しばらくそのまま。

▼第七種体操

第七種体操は、疲れると腰が痛む人の体操です。朝起きて腰が痛んだり、硬張《こわば》ったりしている人は、やってごらんなさい。

排泄系の旺盛なる体癖を持ち、余剰エネルギーの発散と、その調整をはかるための体操。体量配分が捻《ねじ》れてかかる型で、目標は体を捻る動作を支配する腰椎三番。（次ページ写真参照）

(1) 踵《かかと》の重い方の足を力が腰椎三番に及ぶ角度に開く。反対側の足を腸骨の幅に開き、内側に倒す。これが準備の姿勢。

(2) そのまま全身に力を入れながら体を持ち上げる。息を吐きながら。力が腰椎三番に及んだら、全身の力をポッと抜く。吐ききった瞬間にバタッと落ちれば成功。

(3) 息の静まるまでそのまま。

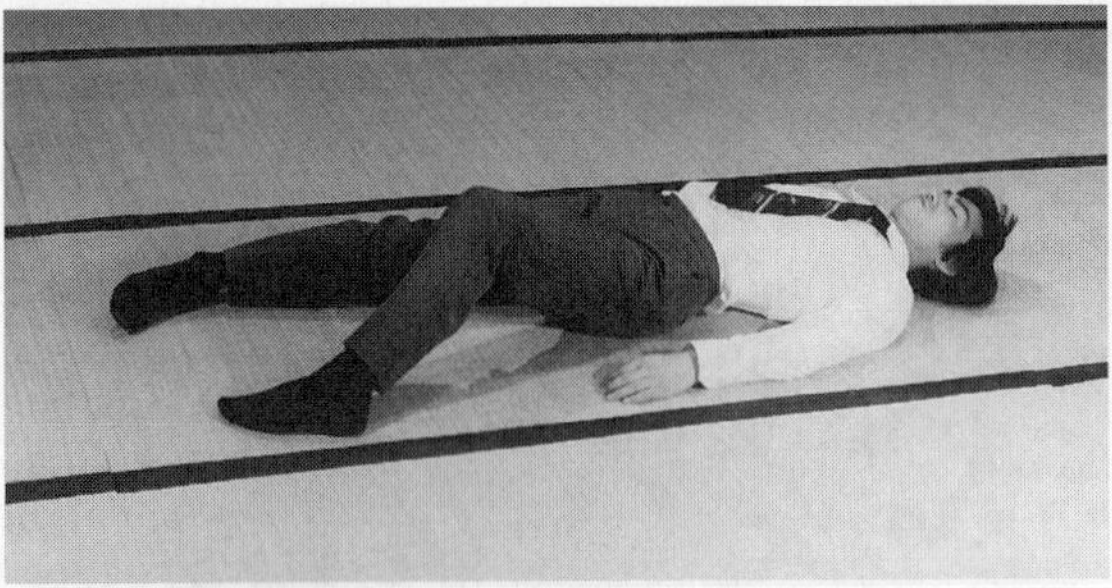

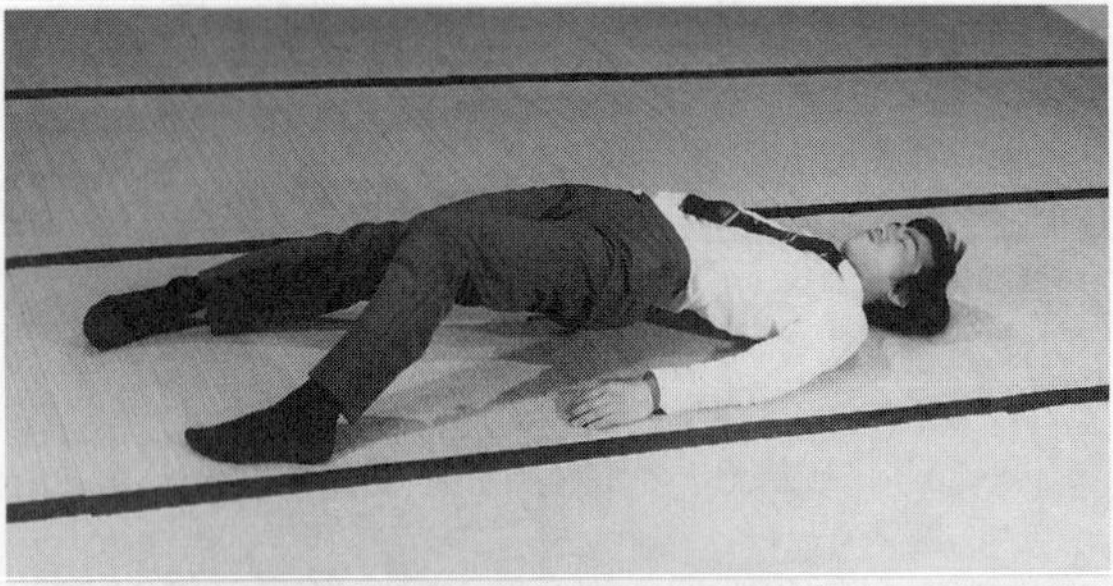

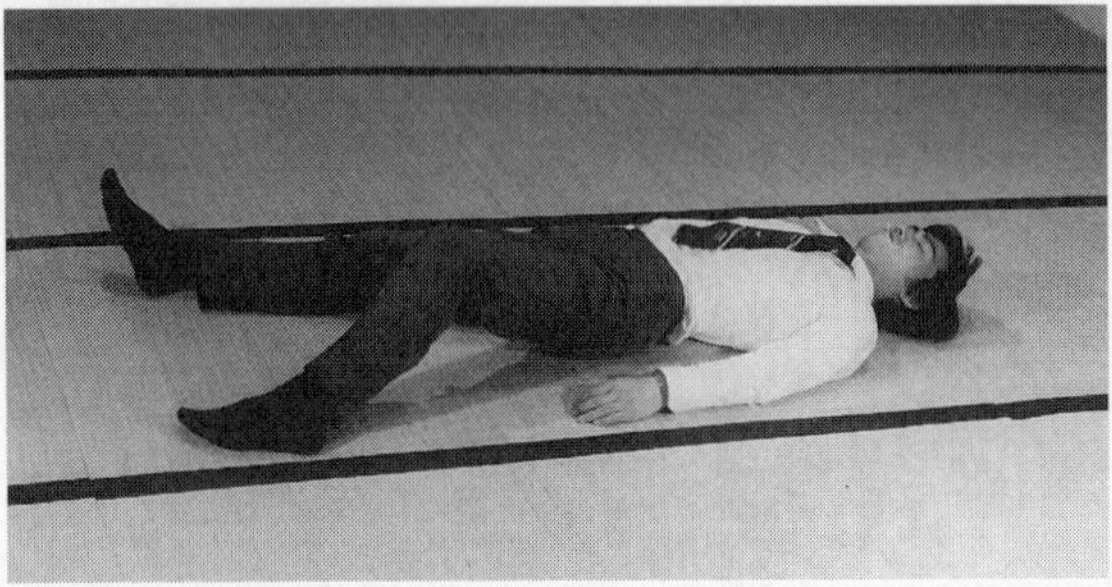

▼第八種体操

第八種体操は、排尿にしまりがない人、尿が二つに割れる人、終わりがはっきりしない人。小便袋の口ひもの弛《ゆる》い人は、この体操を行ないなさい。

排泄系が疲労しやすく、そのために起こる全体の硬直を弛緩《しかん》に導くための体操。（次ページ写真参照）

(1) まず仰臥。踵《かかと》の軽い方の足を腸骨の幅に開く。踵に余分に力のかかる方の足を股関節で引き上げるようにして足を曲げる。

(2) そのまま、曲げない方の踵を頭の方へすり上げるようにしながら、体を持ち上げる。

(3) 息を吐き、吸い込んだ瞬間、全身の力を抜く。

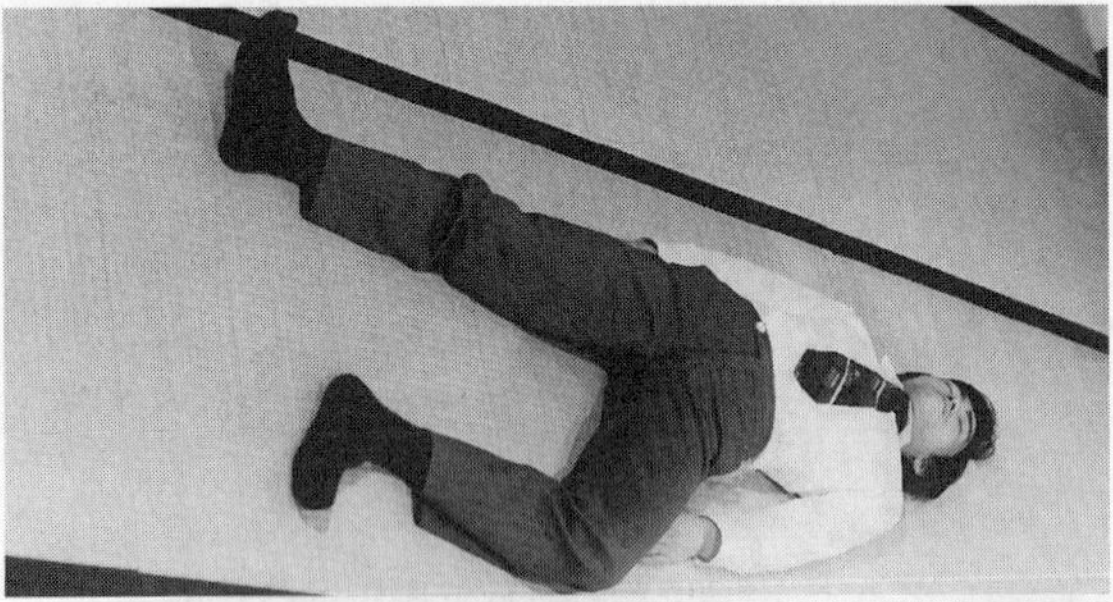

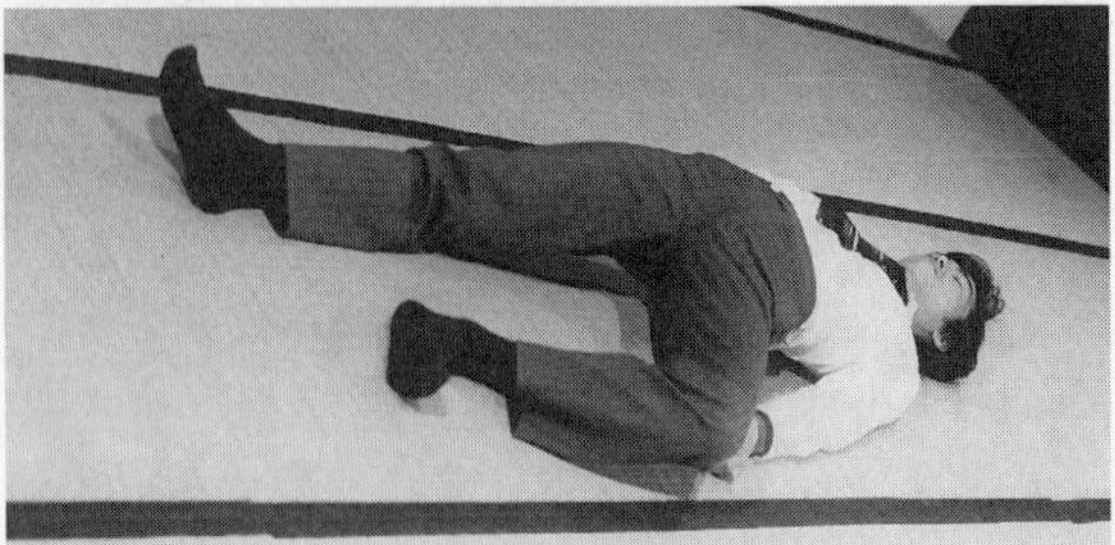

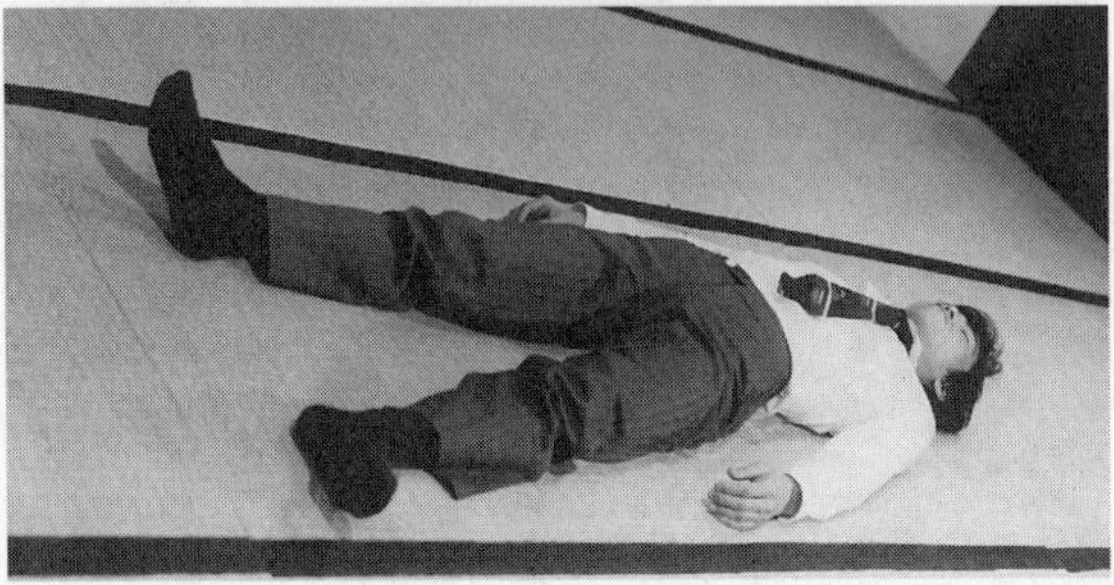

▼第九種体操

第九種体操は、食べても食べても細い人のための体操です。口やかましいのも治ります。

性力過剰によるエネルギー鬱滞《うったい》の分散誘導の体操で、骨盤神経叢《そう》にはたらきかけます。力の目標は胸椎十一番、腰椎三番、四番と腸骨の開閉弾力性の恢復。腸骨の変動しやすい時期にこの体操を行なうと、その調整に役立つ。

(1) まず仰臥、全身を弛《ゆる》める。体量配分の軽い方を先に曲げ、次に、重い方を中心にして曲げる。体量配分の左右の差のはげしい人は踵の差を開く。左右の差がなければ両足の踵は揃える。

(2) 膝小僧を床につけるように膝を開きながら、尻をちょっと持ち上げる。息を吐ききった瞬間にバタッと落ちるように力を抜く。落とした後は呼吸が自然の状態に帰るまで、そのままの姿勢を保つことが必要。

(次ページ写真は第九種・十種体操図)

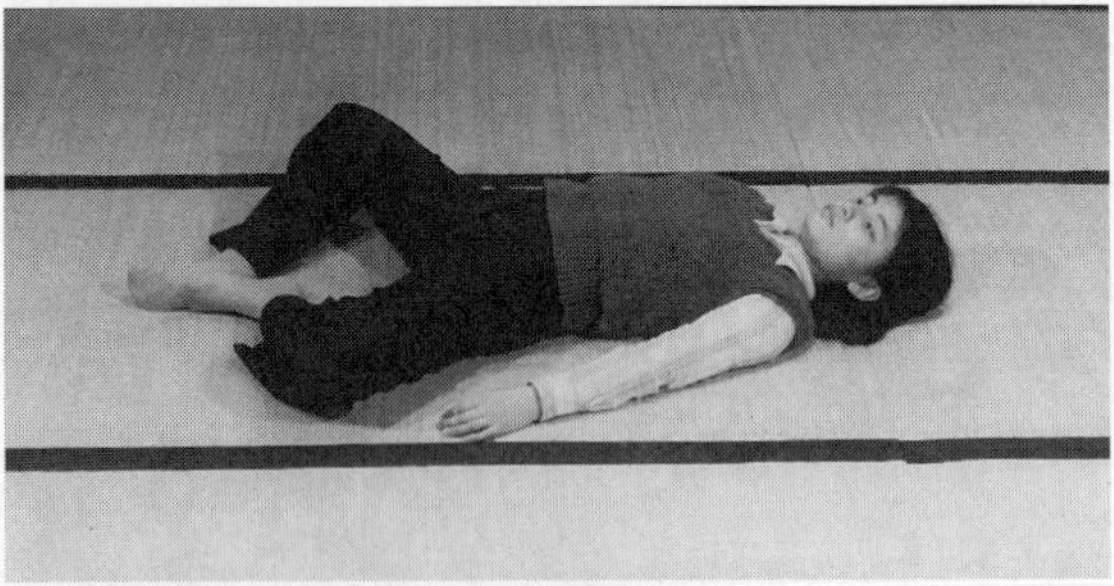

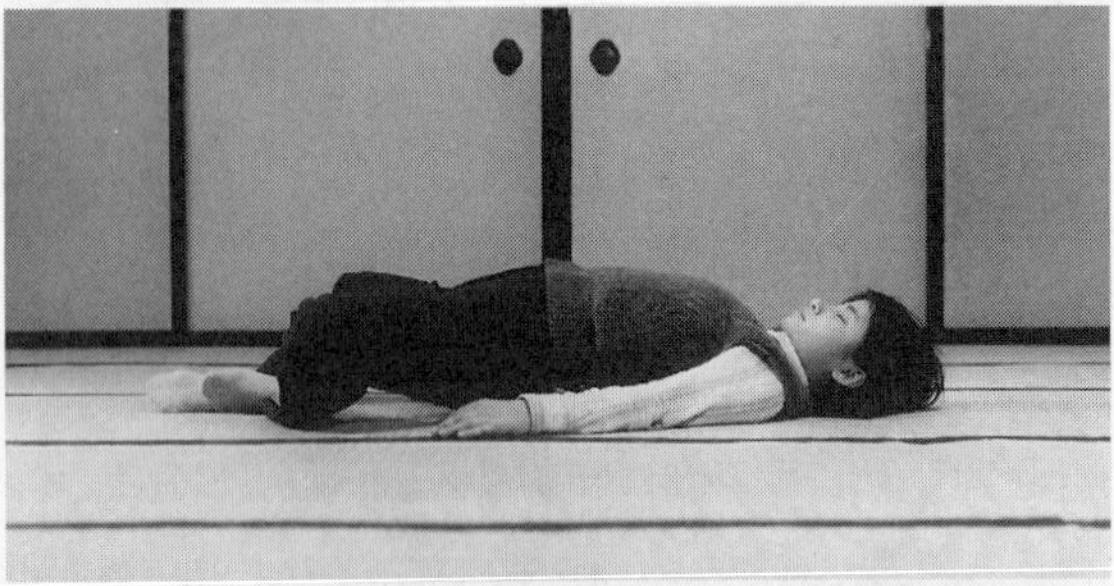

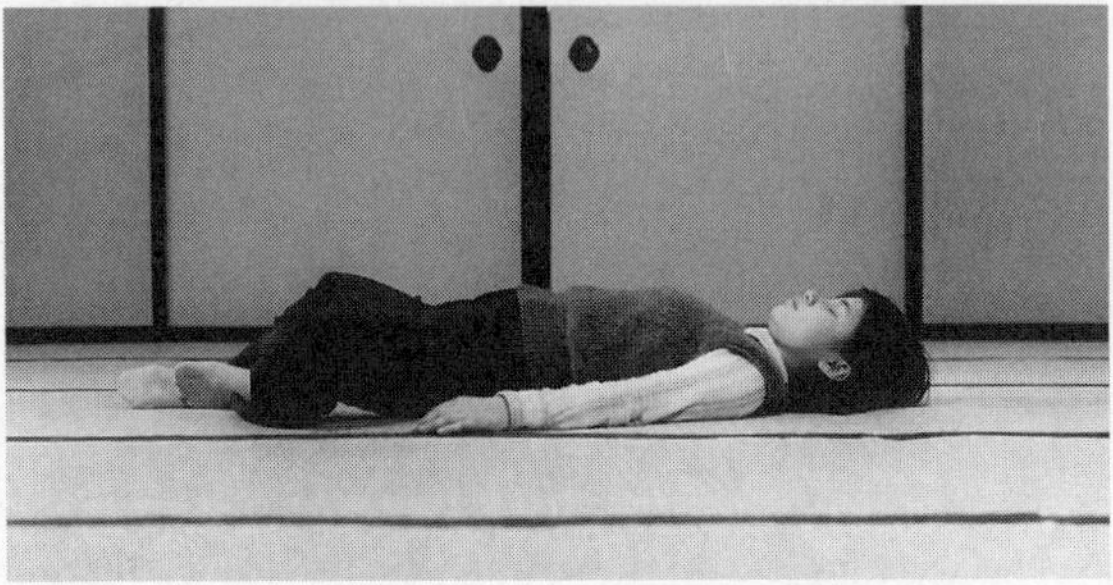

▼第十種体操

第十種体操は、更年期になると太ってしまう人のための体操です。二、三貫（八〜十一キログラム）減る人は、まれではありません。性力欠乏のために生ずる体の弛緩を、収縮に導く体操。目標は骨盤神経叢にはたらきかける。別名「太りすぎ体操」と呼ばれるが、呼吸を間違えると逆にぶくぶく太り出すので要注意。

「第九種体操」の場合と同じ準備。息を吸いきった瞬間にショックされるように力を抜くこと。原則として、足を「く」の字型に曲げる角度があまり深いと腰椎部に及ぼす力が弱い。（右ページ写真参照）

▼第十一種体操

第十一種体操は、自発的にしか行為できず、他人のやっていることがまどろこしくて見ていられないような人が、深く眠って頭の休まるように設計した体操です。（左ページ写真参照）

いわばエネルギー過剰状態の調整体操。体量配分は過敏反応を示す。全身の弛緩をはかる。したがってこれは基本体操と同じです。修癖体操を行なっていて、朝気持ちよく眼覚めたその翌日からは、これを行なってよい。

注　この体操は常用してよい。

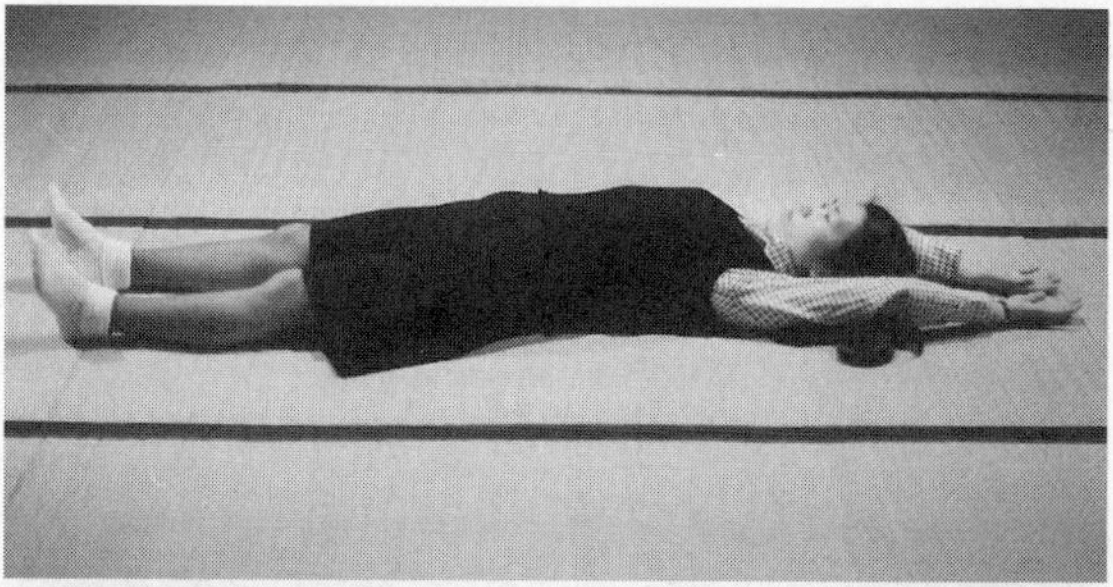

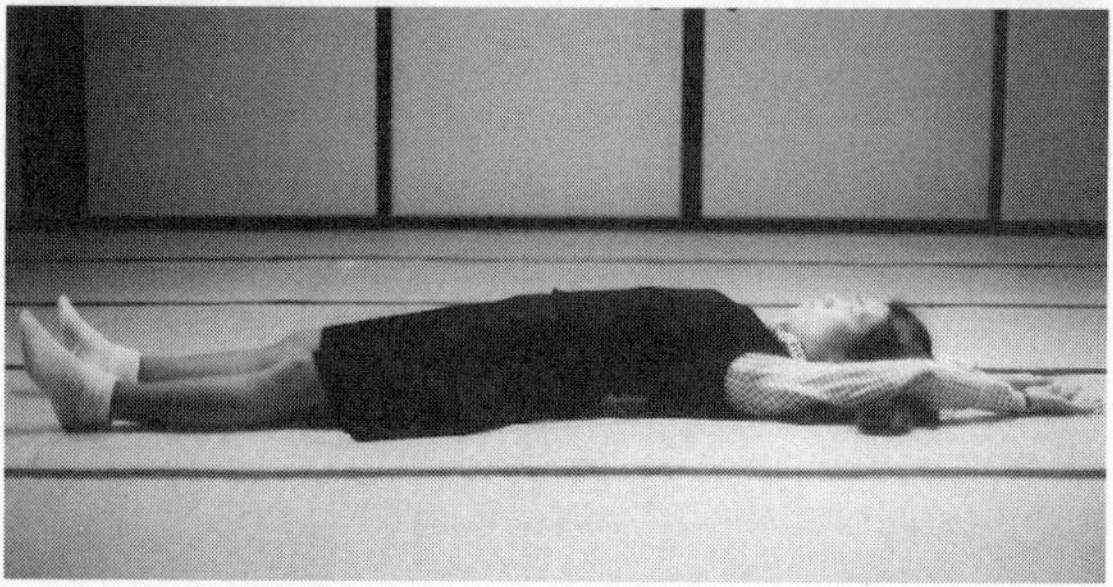

▼第十二種体操

自発的に行為ができず、他人の示した方向へなら動ける人は、この第十二種体操を行ないなさい。自発的に行為ができるようになるでしょう。体量配分は後が重いことが多いが、動作に対して体量移動反応が鈍いのが特徴ですが、腸骨の萎縮が腰部の硬直を伴う。エネルギーの分散不能を変える体操。(左ページ写真参照)

(1) 尻が足の間に入るように坐り、そのまま仰臥。両手で踵《かかと》を持ち、膝小僧を閉じるように力を入れながら踵を開く。

(2) 吐ききった瞬間に刺戟されるよう力を抜く。深い呼吸が整ったら、起き上がって就床する。

注 どの体癖にも共通して起こる低潮の時に行なってよい。

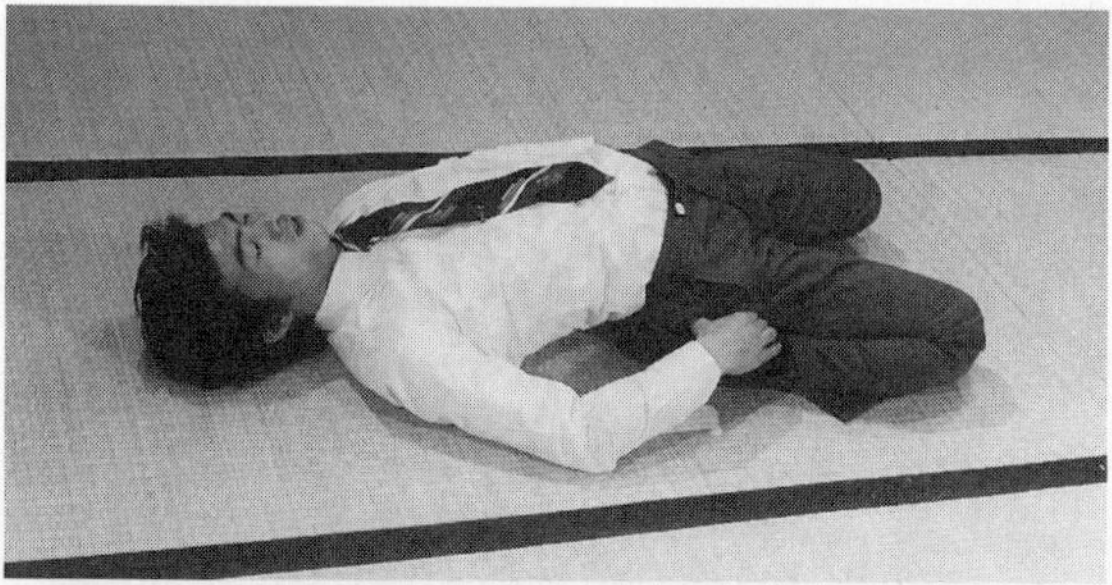

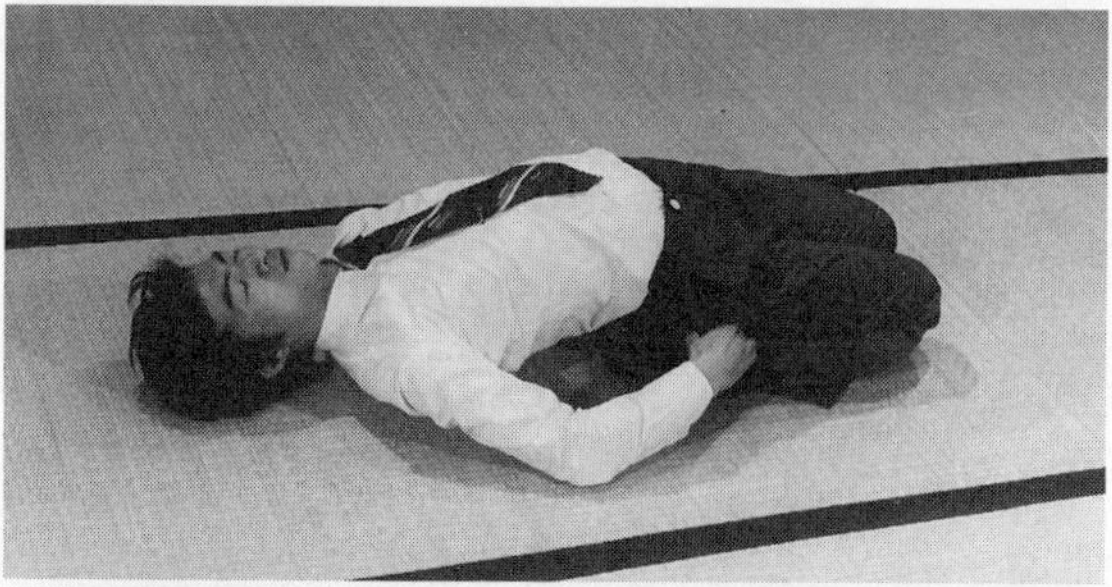

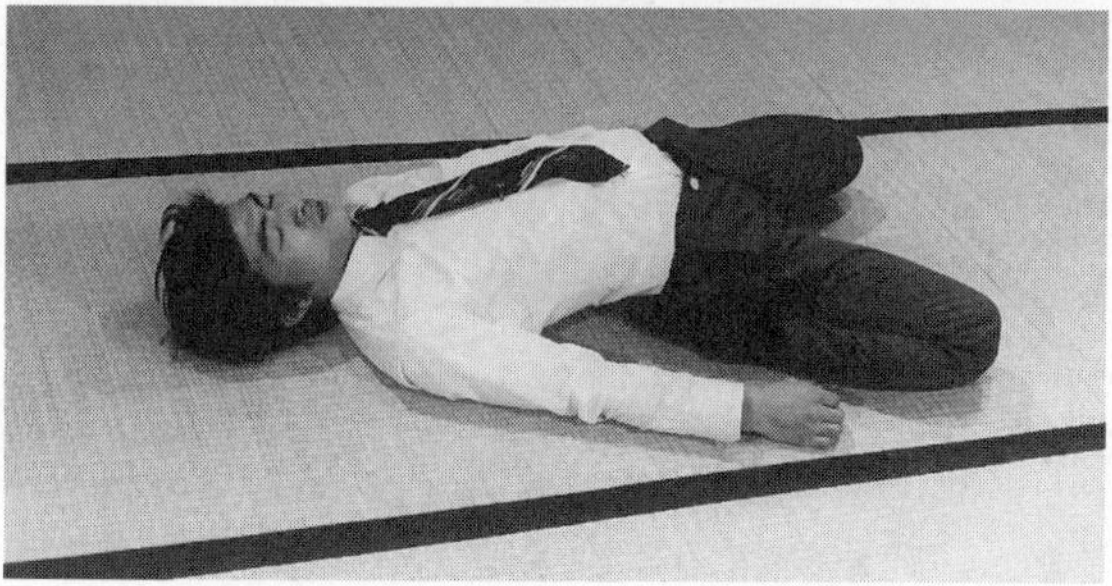

第六章　体癖と生活

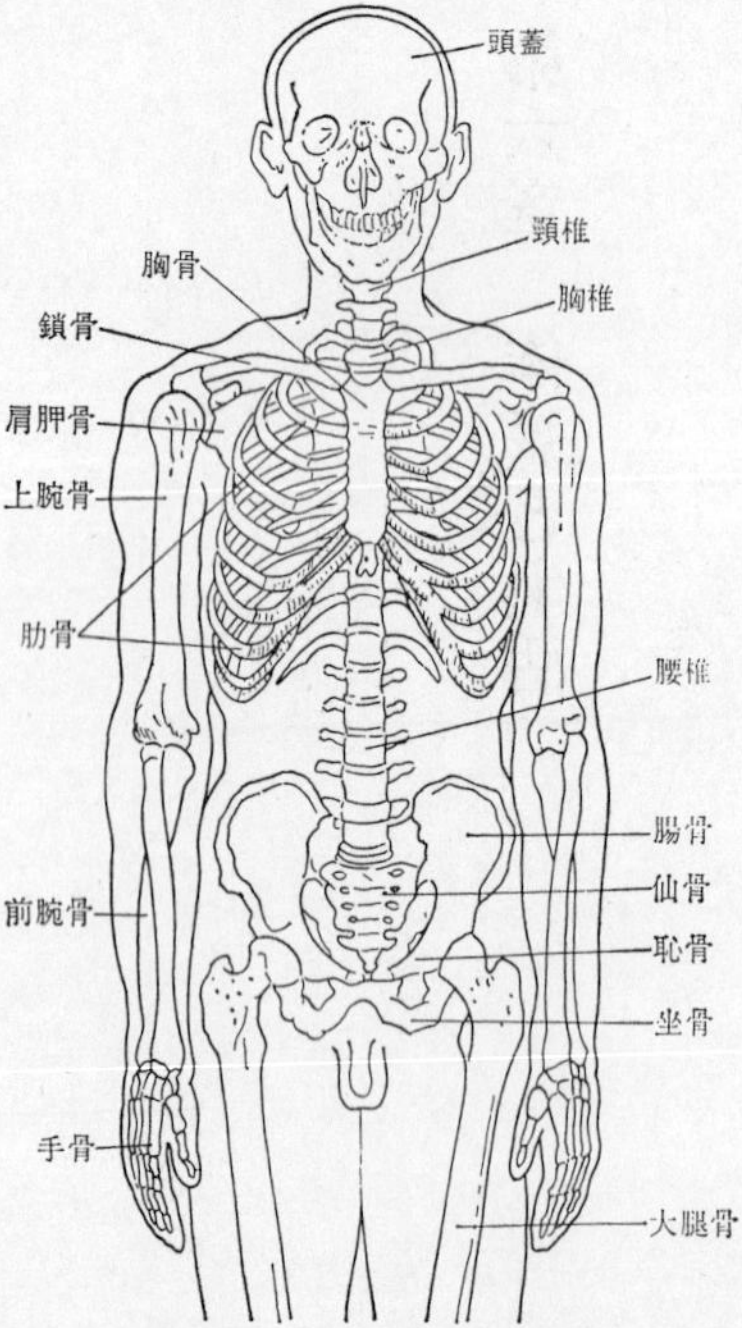

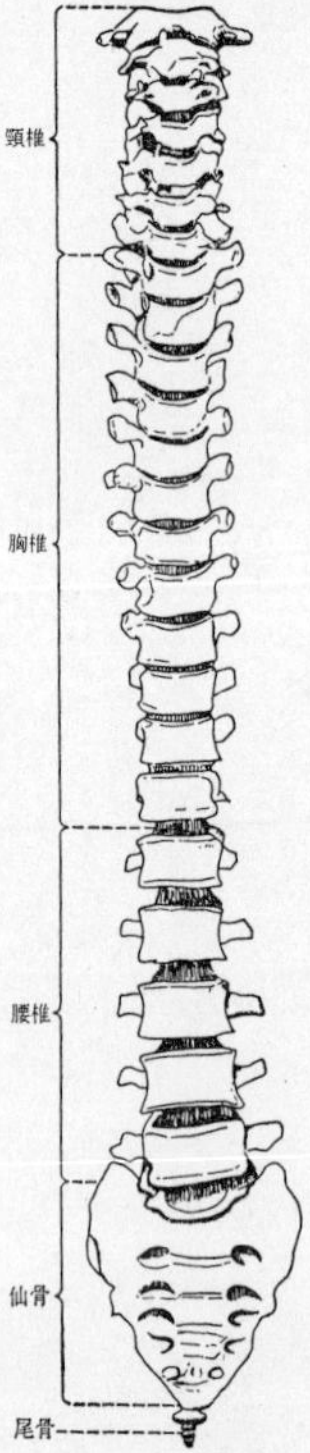

注　人体の骨は、成人で約200個ある。大きく分けると、①脊柱を構成する骨②胸部を構成する骨③頭骨を構成する骨④上肢骨を構成する骨⑤下肢骨を構成する骨――に分かれるが、これらがお互いに連結して骨格を形成している。

このうち脊椎は、頸椎、胸椎、腰椎、仙椎、尾椎の五つの椎骨群より成りたっている。なお、人間の椎骨の数は、32〜33個ある。

風邪の活用

体量配分計で測っていると、ある人がある時期に、左右の配分が非常にアンバランスになってきて、その左右差がある程度以上になると、風邪をひくということが判ってきました。

だから左右差があまり大きくなると、これは風邪をひく前かな、と思うようになりました。ところが風邪を経過すると、そのアンバランスは、ちゃんと治ってしまう。だから風邪は病気ではなくて、体の歪《ゆが》みを正す方法なのだと考えるようになったのです。

脚湯と足湯

子供の学校の先生が風邪をひいて休んでいるので、息子が見舞いに行き、「脚湯」だか「足湯」だかをすすめたらしい。消化器系統の風邪なら脚湯を、呼吸器系統の風邪なら足湯をすればいいのです。膝下外側を圧迫して痛い時は脚湯、足内側を圧迫して痛い時は足湯を行なう。

脚湯というのは、膝が隠れるまでのお湯に、同様に足湯は、踝《くるぶし》が隠れるまでのお湯に、八分間入れて温めます。その時のお湯の温度は、ふだんの入浴温度より二度高いことが必要であり、最初の温度より冷めないよう差し湯をしながら行なう。六分経ったら、足を乾いたタオルでよく拭《ふ》いてみて、一方の足は赤くなっているが、もう一方の足は白いままだったら、赤くない方だけ、もう二分間、さらに一度高めた湯の中へつけます。そうすると両方揃って赤くなるから、再びよく拭いて、水を飲んで寝ます。

足の左右で、変化の度合いに差ができるのは、左右どちらかに重心が偏《かたよ》っているからです。また、熱いお湯で皮膚が赤くなるのは、熱さを感じたその刺戟で体の中に血行の変化を起こすからで、敏感な方が早く赤くなり、鈍《にぶ》っている側がなかなか赤くならない。そのように、体の感受性が偏っていれば、同じ刺戟でも反応に違いが出てくるのです。

人体は左右がアンバランス

顔でも丁寧に見ると、足の赤くならない側の顔は、小さくなっています。大雑把《おおざっぱ》に左右同じつもりでいるが、よく見ると人間の顔は誰でも左右違う。それが風邪をひく前は極端に片側が小さくなる。皆さん、家族の人の顔を観察してごらんなさい。どちらか一方が大きいような人はありませんか。もし、その差がひどければ風邪候補です。しかし食べすぎても片側が大きくなる。だから風邪の前で大きいのもあれば、食いしんぼうのために大きいのもある。

これが風邪の時の経過方法ですが、長い間この方法を人にすすめてきて、一度も苦情を受けたことがありません。やるといつもビックリするような効果を発揮するので、子供もそういう気持ちですすめたのでしょう。ところがその先生は、「同じ人間の体を同じ温度の湯に入れて、片方は赤くなり、もう一方は赤くならないなんておかしい」といったそうです。

そういわれて考えてみれば、体温一つを例にとっても、左右が違っているということを、私どもは当たり前のことだと思っているが、一般の人は知らないかもしれない。しかし風邪をひいた時でも、本来は右と左の両方を測らなければ正確な体温は出せないのです。けれども普通は、体温は右も左も同じものと思っているから、脚湯をしても足湯をしても、同じ温度の湯に同じ時間入れるならば、同様に赤くなるはずだと考えるのも無理はありません。むしろ、そのほうが今までの知識による常識かもしれない。丁寧に人間を観察していれば、人間の左右の体温は違うものであり、その差がある限界に達すると風邪をひく。分娩の後も差があるが、分娩の後でなくとも、骨盤が狂っている人はみなふだんでも差があるのです。

平温以下になったら寝る

その先生は子供にすすめられて、半信半疑でお湯に足を入れてみた。六分経ってからよく拭いてみると、なるほど片方は赤くなっているが、もう一方は白いままだった。驚いて白い方の足をもう一度お湯に入れてからみると、同じように赤くなったので、よく拭いてから寝たら、その晩布団に滲《し》み通るほど汗が出て、風邪が一晩で抜けてしまったということでした。「不思議だ、不思議だ」を連発していたそうですが、私の方でも、世の中にはこの先生のような考えの人が多いのかと不思議に思うとともに、改めて生きた人間の観察というものが丁寧に行なわれていないのに驚かされました。

風邪が経過すると熱が下がり、いったん平温以下になります。平温以下になったら、体をゆっくり弛《ゆる》めて寝ていることが大切です。体温が平温に戻ったら、起きて平常の生活通りに動いてよいのです。こうすると風邪の前より体がさっぱりと軽くなります。平温以下から平温にかえるのは、およそ三時間前後が標準です。これには風邪を経過するために動員した体力によって長い短いがあり、麻疹《はしか》のあとなどは、三日間以上平温以下がつづくこともあります。

脚湯――消化器の変動を伴う風邪の場合

(1) 脚湯をするには、入浴温度より二度高い湯（四十二〜四十五度）に、膝が隠れる部分までつけ、四分から六分保つ。湯の温度が下がらないように、差し湯をしながら行なうこと。深い容器で、湯をわかしながら行なえばなおよい。

(2) 乾いたタオルでよく拭き、発赤の薄い側を二分間追加する。

(3) よく拭いてから水を飲んですぐ就床すること。

足湯――のどの痛い風邪の場合

(1) 足湯をするには、入浴温度より二度五分ないし三度高い湯に踝《くるぶし》までつけ、六分間保つ。

(2) 乾いたタオルでよく拭き、赤くならない側を二分間追加する。

(3) よく拭いてから水を飲んですぐに床に入ること。

注　寒くなると、足や腰に冷えを感ずる人もいるが、足に冷えを感じないで、足の冷えを腸の異常、肩の凝り、歯痛、頭重、陰気、腰の痛み、胃の痛み等に感じている人も多い。下痢、便秘、痔の中にも足の冷えの現象であることが多い。それを風邪だと思ってしまうようなこともしばしばある。こういう時に脚湯、または足湯をすると簡単におさまってしまうので、足の冷えであったかと気がつく。特に足の甲の冷えは影響が激しい。

腕の疲れをとる方法

勉強をしたり文章を書いたりして長時間机に向かっていると、腕が疲れてだるくてしかたがなくなることがある。そのような時は痛い方の腕を脚湯や足湯の時と同様に、入浴温度より二～三度熱いお湯に、曲げた肘《ひじ》の少し上までを四分間つけると、腕の疲れが抜けるとともに頭の疲れも抜けます。

このような時には眼も疲れているでしょうから、あわせて、次に述べる「眼の疲れをとる体操」をしておくとよい。

筋には筋紡錘《きんぼうすい》という感覚器があって、緊張している間は大脳へ信号をおくりつづける。それゆえ、頭を休めるためには筋を弛《ゆる》めなければならない。ペンを握ったまま気分を変えようとしてもむずかしい。文章を記していてつかえたら、そのペンをおいて腕の筋を弛めると頭が休まるのか、また、別の角度からの構想が湧《わ》く。そのためにも、この曲げた肘の隠れるところまで、湯につけることは役立つ。子供の勉強がつかえたら、この方法をやってごらんなさい。

眼の疲れを簡単に抜く体操

眼を使いすぎると、まず後頭部が疲れ、頭皮が縮んで硬くなり、次に肩が凝《こ》り、腕の力が抜けなくなり、胃部が硬直し、腰が硬く、また痛くなり、脚がだるくなり眠くなります。そこで眼の疲れやすい人は次の体操をするといい。

その中心点は、胸椎《きょうつい》一番、二番、三番の硬直の処理です。ここが弛めば全体が自ずから休まります。

(1) 瞑目《めいもく》して眼球を今まで使っていたのと逆の方向に向け、近くのものを見ていたなら遠くを見る、下を向いていたら上を見るようなつもりになって、眼の焦点を変え瞼《まぶた》を固くつぶり、また弛めることを三回行なう。瞬《またた》きの意識的なもの。それから瞑目したまま眼球を回転させます。眼をつむったまま周囲を見回すようにして首を動かさないこと。六回転させたら、耳殻《じかく》周囲を順々に引張《ひっぱ》り伸ばします。これを八回。

(2) 顔を上に向け、首を伸ばし背を伸ばし、両肩胛骨《けんこうこつ》を背中に寄せ、しだいに力を集め急に体中の力を抜きます。意識的で誇張した欠伸《あくび》、これを三回。

(3) 仰臥《ぎょうが》し体を弛め、両脚を一様に開いて、そのまま足先を五センチ上げ、三秒耐えます。呼吸は普通を保つこと。そして急に力を抜く。高くあげないで、ふくらはぎがわずかに床から離れる程度、これは協会指定の一種体操です。

頭の疲れをとる体操

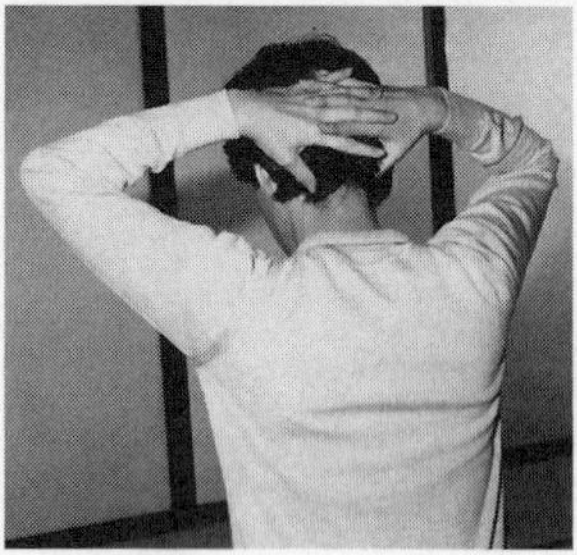

頭が疲れて重い時や頭痛のある時は、上頸を指で圧迫するといい。場処は一八〇ページ以下の脳活起神法と同じ。左の鼻から息を吸って右から吐けば、頭は働きやすくなる。この逆を行なえば休まる。

(1) 手を組んで拇指《おやゆび》を上頸（後頭部のすぐ下）に当てる。

(2) そこを押すようにしながら、上を向いて五秒で戻す。

(3) これを三～四回繰り返す。

(4)　腹式呼吸をする。

勉強とか机に向かっての仕事を長時間つづけていると脳に充血するので、この部分を圧迫していると脳の鬱血が治《おさ》まります。また、ここを弛《ゆる》め、圧迫することを繰り返すと貧血も治る。つまりここは脳の血行を調整する場処なので、歯が痛くとも目が痛くとも、その手当てを行なう時に、あわせてこの方法も行なえば効果が早いのです。

乗り物酔いの予防

予防法はみな違う

「旅行まで二週間あるのですが、どのような予防法があるでしょうか。車に乗る時の注意、車に酔いそうになったらどうしたらよいか、酔った後始末はどのようにしておくべきか。また乗り物酔いの原因は何でしょうか?」という質問を受けました。

もしもこの人が、自分の車酔いについて質問しているのならば、こういうご質問をなさらないことが車に酔わない方法です。車に酔いはしまいか……という空想によって酔うことが非常に多いから、車に乗る前には、そのことに注意しない方が有利です。車に乗る前になって酔わないように注意すると、その注意することが酔うという空想を育てて、なんでもない人まで酔うようになります。

しかし体の平衡《へいこう》を保つ中枢が耳の奥の三半規管というところにありますので、そこが悪いために平衡が保ちにくくて乗り物に酔うということもあります。

それに関連したところ、腰が硬い、視力のアンバランス、アレルギー状態が、原因となっている場合もあります。

さらに、肝臓や胃袋の過敏状態も酔いの原因になりますが、それぞれによってみな予防法が違います。

平衡器が悪い場合には、片方の目をつぶるか、片方の耳を塞《ふさ》ぎ、体を非重心側に片寄らせておくだけで無事を保てる。首が過敏な人は、頸椎《けいつい》二番を上げるように天井の方へ目を移し、首を右か左に曲げておくと酔いません。

肝臓や腎臓が悪いために酔うものは、胸椎の九番か十番の下がっている方を上げておくと大丈夫です。これには活元運動をする前の捻《ねじ》り運動がよい。旅行までに二週間ある時ならば、予《あらか》じめ上げておけば大丈夫です。それには一六八ページに紹介する「腰を強くする体操」をやって、そのまま不用心に乗ることが望ましい。

まともな人間は酔わない

しかし、他人が酔いそうになったら、鳩尾《みぞおち》をギュッと押さえて少しゆすぶることを、当人にさせます。それから上頸部をギューッと押えてやると、酔いは止まります。

長野県松本市で才能教育をしておられる鈴木鎮一先生は、アメリカへ子供達をつれてゆく時、この方法を知っておられたというだけで誰も酔わせなかったそうです。平素酔う親もいたそうですが大丈夫でした、といわれておりました。

酔った後始末はどうすればよいか、ということですが、吐くということを億劫《おっくう》がらず、怯《おび》えさせずに自発的に吐かせてしまえば、それですむ。そのあと上頸を押えておけば充分です。胸椎の三番と四番がくっついているのが震動に一番弱い。胸椎の九番と十番のくっついているのは、ヒステリーがいのものか、あるいは被暗示性に富んだものが多い。そういう人には、目や耳の片方をつぶるというような暗示を与えると、考えている以上の効果を上げます。

使う時には時間を指定します。

「まだ早い、まだ目をつぶってはいけない、開いていなさい。ほら、ここでつぶる、静かにつぶりなさい」といってつぶらせると、本当に効果があり、酔わなくなります。

「まだ早い早い、そこだ」と、使う時期を指定するのがその要点です。当人の勝手にまかせてつぶらせると、効果が少ない。

いずれにしても、そういう心理指導がいる場合が多い。心理的な理由で酔う人の大部分は、二種または四種または十一種体癖素質の持ち主なのです。酔う人の顔を見てごらんなさい。きょときょとして落ちつかない。そして自分を弱いものに見せて甘える人達です。そういう人は何にでも甘えるのです。汽車に乗るのや飛行機に乗るのまで、甘えの材料にしようと企てているのです。子供でも、親が庇《かば》いすぎている子供達が酔う。自分で自分のことをやっている、まともな人間は酔いません。

ゆれ方の違い

同じ酔うといっても、乗り物によって、その原因も違ってきます。四種または八種で胃の弱い人は、縦の動きでは酔わないが横の動きで酔うのです。縦の動きで酔うのは大部分が心に理由があります。積極的に一つことをジイーッと考えさせていると酔わない。船には横の動きがある場合が多いが、近頃の日本の車は横の動きは非常に少なくなっていますから、汽車や自動車で酔うというのには、そういう心理的理由で酔う人が多いということです。運転している人のアクセルの踏みすぎのため、排気ガスが室内に入るか、自動車の構造に欠点が生じて、ガスが室内に入ることがある。そのために肝臓が敏感な人達が酔います。子供の酔いはこれが多い。また、鼻粘膜の敏感な場合もあるが、そういう人は、頸椎の三番、四番がくっついて硬くなっている。鼻粘膜の刺戟は、胃の拡張反射を起こす。何か関係があるのでしょう。

この他に、クーラーやヒーターをかけて、中の汚れた空気を何回も循環させて、空気の入れかえをしないような場合もある。この時は窓をあければよい。そのあとで、おでこを掌《てのひら》でトントンと強く叩いておく。

また、血液が濃くなって、血のめぐりが悪くなって酔う場合もある。これも窓あけが第一。そのあと頸椎の四番を叩く。これは肺を急に縮め呼吸量を多くする方法です。

電車の場合は、ほとんどが前後振動で、左右に揺れるというのは少ない。しかし、昔の古い汽車だと横ぶれするかもしれないから、斜めに坐る。新幹線は額を叩いて乗る。バスも最近のものはよくなりましたが、古いバスは横ぶれがあります。なるべく車掌や運転手の近くに坐らせるようにすると、酔いは少ない。その代わり悪いガスを出す場合には、運転手の近所が一番酔いやすい。一番後は前後振動も左右振動もひどいので、弱い人は乗りにくいが、こういう質問を出す過敏な人は、そういう所に坐ると、ゆすぶられるのが大変で、その方に気をとられて酔うのを忘れてしまうこともあります。もしも生徒など連れていく場合には、こういうことも考慮して席を決めてください。

もっとも、ふだん活元運動をやっている人はなかなか酔いません。酔うような人は、活元運動をやるとすぐ吐き気が起こります。そのとき鳩尾《みぞおち》を押さえて活元運動をやっていると、吐き気も止まりますし、乗り物にも酔わなくなります。ですから、乗り物酔いの対策を考えるよりも、ふだんから活元運動を行なって、酔わないような体になっておく方が、ずっと安心ですネ。

梅雨期の体の使い方

梅雨の時期は湿気が多い。ある年の六月は、この湿気のために、三台のアンプリファイヤーが故障し、テープレコーダーも二台、音が出なくなってしまった。人間の体のように自分で調節することのできない機械が湿気に冒されるのもやむを得ない。

しかし、自ら調節できるはずの人間の体を、その構造に適《あ》うよう使わずに壊す人もいます。また、湿気を防がなくてはならないという人もいます。しかし、それは違う。体の自動調節装置をフルに働かせることを考えるべきで、受け身の気持ちになっているようでは、ある力を働かせられない。人間の体は湿気のせいにしないで、その持ち主の怠慢によることを認めるべきです。

さて、梅雨になると、どういう体が故障を起こしやすいかといえば、湿気で皮膚を包まれると、一番影響を受けるのは、泌尿器《ひにようき》と呼吸器です。普通でもあまり湿気が多いと蒸し暑く、息苦しく感じます。

蒸し暑い時は体を積極的に動かし、息苦しくだるい時は深呼吸すると、そういう感じは薄らぐ。思いきって大股に五、六歩歩けば、だるいのがとれます。坐骨神経周辺の筋硬直がだるい原因であり、息苦しいのはその影響です。それを伸ばすように歩いてみると、すぐ体で判ります。

体癖でいえば、八種と六種の体に特に影響が濃く、とりわけ八種体癖者は、大股に歩いても深呼吸してもだるい、重い。しかし、その捻《ねじ》れている方向に思いきり捻り、息をこらえて不意に吐く。吐く時に捻っていた体を元へ返す。これを二、三回行なうとその感じはなくなります。

六種体癖の人は、胸椎三番、四番の肩胛骨《けんこうこつ》間の運動をすると楽になりますが、湿気で重くなった気分をとることはむずかしいが、活元運動を行なえばよい。

湿気で鉄が錆《さ》びることはご存じと思うが、人体の構成物質にも、その湿気で錆びる鉄があることを考え、停滞しないように積極的に動かすことを行なうべきでしょう。

活元運動は湿気が多くなると発動しにくくなるが、いったん発動するとたいへん大きく動く。

私も毎年、これが活元運動に相違ないと思うような活発な運動が生じ、その後の爽快さは、これぞ整体の感じと思うことがありますが、考えてみるといつも六月です。

梅雨期の風邪は汗を引っこめた捻れ風邪。四月と違って捻れ体癖のある人に多い。汗の引っこむのは風、特に隙間風《すきまかぜ》。寒い頃は注意している人も多いが、梅雨期は、ついウッカリ忘れて冷やす。捻れ体癖の子供をもっている人は早めに蚊帳《かや》を吊ったらよい。蚊帳は蚊のためより、風や、暁方《あけがた》の気温で冷やすことを防衛します。

しかし眠っているとき以外は、積極的に勉強し、運動していれば、警戒の必要はない。

秋の健康法

夏の汗は有力な脱塩法です。泌尿器に対しては、かなり大幅な補助の役割を果たしています。

その汗が気温が下がるにつれて少なくなり、秋の中旬になる頃は、汗による脱塩作用や泌尿器の補助的な働きは少なくなり、そのために血液の塩分を捨てることが少なくなるために血管が硬張《こわば》るとか、血圧が高まるとか、排尿異常とかが起こりやすくなります。そうでなくとも、頭が重かったり、肩が凝《こ》ったり、爽《さわ》やかな秋のはずなのに体が爽やかにならないことがよくあります。

入浴でもして汗を出そうと考える人もありますが、この機会に胸椎五番と十番を正すべきです。ことに捻《ねじ》れる傾向のある人が爽やかでなく重い。捻れさえなければ適応してしまいます。余分な方法を講ずることは適応を遅くします。

胸椎五番の捻れは、後頭部頭皮を引き締める刺戟をし、活元運動の準備体操の捻り体操（五〇・五一ページ参照）を行なえばよい。ゴルフの素振り、球なしゴルフが最も適当です。ボールをおくと、かえって胸椎十番の捻れを増やすような恰好《かっこう》になってしまう人が多いので、おすすめしません。上手な人なら別ですが。

秋のゴルフはその意味で、上手な人には健康法になります。誰でもゴルフをやれば健康になるつもりでいる人もありますが、下手なゴルフは捻れ製造法です。

しかし、ゴルフ場を歩くことは大いによいことです。九月から十一月初めまでの時期には歩いて球なしゴルフ専門なら、どなたにも健康法になりますが、ゴルフは健康法と初めから思いこんでいる人は、〝刃物も使いよう〟という言葉を考えること。

秋も深くなると、空気が乾いて発汗が促進されますから、そうなれば自ずとこういうことがなくなります。

飲みすぎた時の体操

「飲みすぎましてね、頭が痛い。体中がだるい。胃袋がまだゴボゴボして吐きそうです。もう飲みすぎないようにします」とある実業家。

「と、いってもまた飲むでしょう。飲み終わったら、自分の背骨を見るようにして左へいっぱい体を捻り、フッと力を抜き、今度は右にいっぱい体を捻って力を抜き、交互に三〜五回繰り返す。その力の焦点が胸椎十番にゆくように体を捻れば、翌日はサッパリして、そんな弱音は吐かないですみますよ」と私。

この体操も五一ページの「体を捻る体操」と同じです。

食べすぎた時の体操

胃袋は庇いすぎないこと

胃の弱い人は、よく丁寧に噛《か》んで食べていますが、それでは弱い胃袋は丈夫になりません。まして、胃袋に硬いまま運んだのでは胃が壊れると考えて丁寧に噛むのは、そのたびに胃袋を萎縮させていることになります。

胃袋で活発に働こうとしている時に、ネチネチいつまでも噛んでいるような食事法は、胃袋によい食事法とはいえません。生きている体は環境に適応する働きがあるのですから、軟らかいものだけ入れるようにしていることは、胃袋を怠けさせる行為といえましょう。

しかし、胃が弱いのに気張って早めしを食べることはなおよくない。おおいに噛むべし。空腹になると、思わずガツガツ食べてしまうが、そういう時はその食べ方がよいのです。

特に、胃袋に入って膨張するような食物を噛まないで押し込むと、中で拡がり、それに対して胃袋が、正常な状態を保とうとして縮む。これが胃痛。胃痛から始まって、悪寒、発熱、嘔吐、下痢と続いておさまります。

吐き、下痢し終われば、胃も腸も活発になります。胃腸を壊しはせぬかと余分な用心をして食べたり、食べたい心を抑《おさ》えたりすると、かえって壊れるのです。

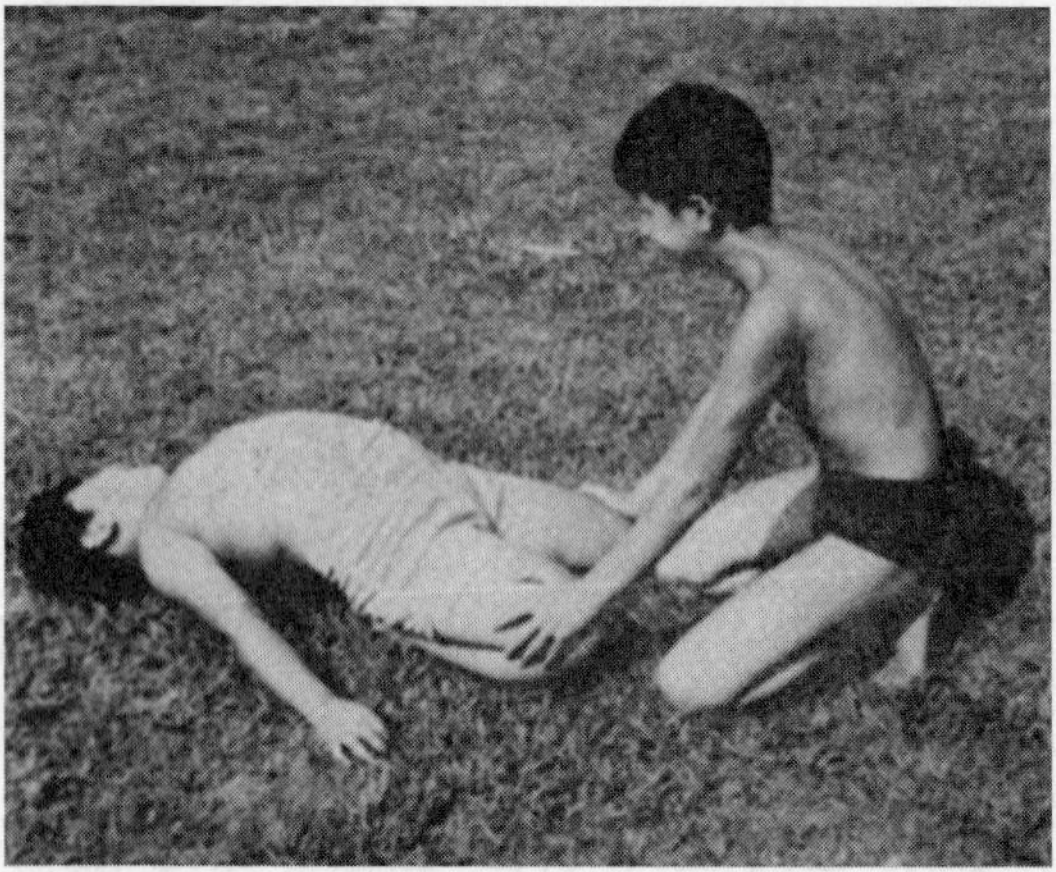

食べすぎた時の体操

食べすぎた時は、上の写真のような体操をするとよい。

私の子供などは、食べすぎたといって食べすぎの体操をして、お腹が空いたといってまた食べる。こういう体操の乱用はいけないが、この体操は腰椎のこわばりを取り腰を強くしますので、腰を強くする体操ともいいます。また、背首が強くなり栄養の吸収がよくなります。

(1) キチンと坐って、そのまま仰臥させる。

(2) ひらいた膝を寄せてパッと放す。(四～五回)

(3)　膝を寄せて、こちらの膝でピタリと押さえ、手を貸して上体を起こす。

注　①　この体操の時に、膝を寄せた時、上体の反《そ》る人ほど食べすぎているわけです。ひどい人は拳《こぶし》が二つ入るぐらい反ってしまう。拳が一つ入るぐらいなら正常です。
②　この体操は、「乗り物酔いの予防」（一五七～一五八ページ参照）にも効果があります。

食欲増進の体操

食べたくない時は食べないことだが、現代人は何かと多忙だから、他のことに気を奪われて、食欲の方に気が回らなくなることもあります。

右の足首が硬直して可動性が悪くなると、食欲はなくなります。体が必要な時でも食欲が起こらない。歩く時に左肩を上げている人は食欲がない。そういう人の首を左右に回転させ力を二、三回入れ抜きすると、食欲が出てきます。足首回転が不十分な人は、次の体操をおやりなさい。しかし、働かないで食べることだけ考えている人は駄目です。

(1)　仰臥して足の内踝《うちくるぶし》が腸骨の幅と同じになるまで開く。

(2) そのまま三センチぐらい両足を持ち上げる。
(3) 右足だけ腰椎二番に力が入るまで開き、力が入ったとたん、両足をストンと落とす。

排便促進の体操

大腸は、大脳の働きと最も関係が深いところです。不安や心痛はすぐに下痢や便秘をひき起こしますが、そのような心因性の便秘や下痢は止めるべきです。頭が快適に働くようにすればよい。

けれども、悪いものを食べて下痢するとか、風邪の経過、胃袋や胃腸の自然良能作用などの一時的なものは、何も心配はいりません。体に任せておけばいいのです。

ただ、材料がないのに出そうとする心因性のものはいけません。そういう場合は腰椎四番の左側が硬くなっていますから、そこに愉気《ゆき》をしてください。場処《ばしょ》が正確に判らない方は、ウエストの位置と覚えておかれたらいいでしょう。一方、材料がある場合は、腰椎二番の左側が緊張しているだけです。このような時はどんどん食べて、どんどん下痢するつもりでいればいいのです。

(1) 腰椎二番が緊張している場合は、その緊張を手伝って出すだけ出せば終わります。

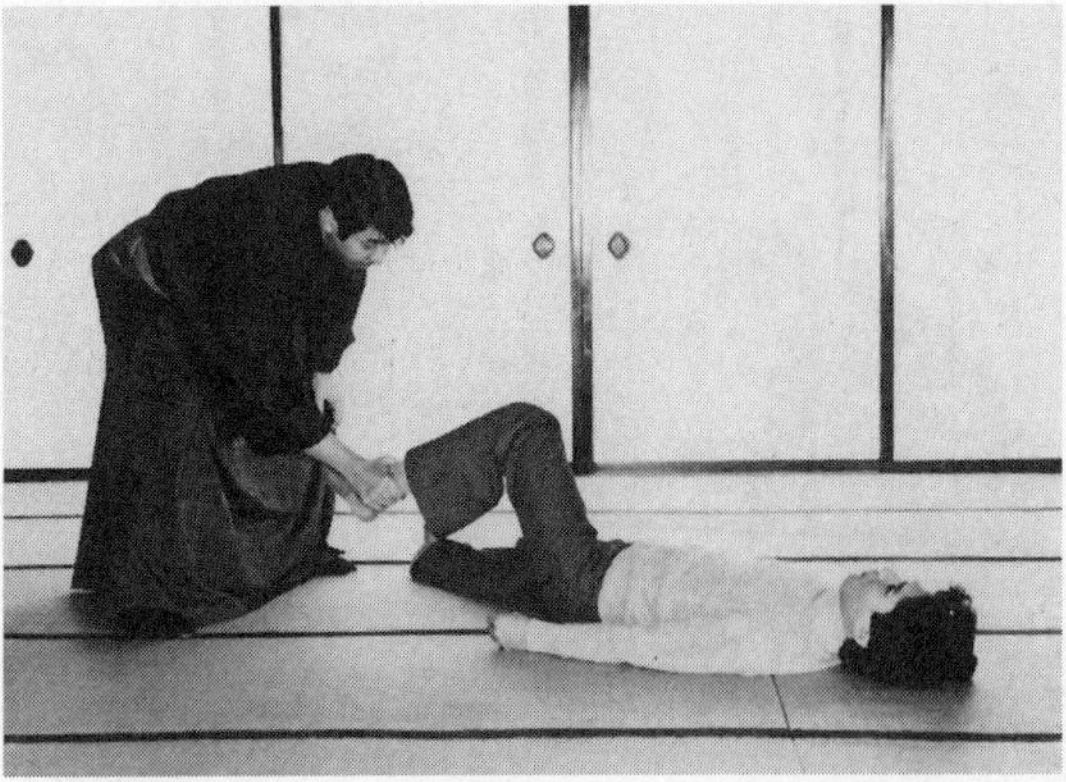

（上の写真参照）

一、仰臥させる。

二、足を腸骨の幅に開く。

三、左足を持ち、上の写真のように曲げる。

四、踵《かかと》を引張《ひっぱ》るようにして、急に下へ伸ばすように引張る。

⑵　腰椎四番に異常がある場合は、その硬直を弛《ゆる》めて、下痢を止めるようにします。（次ページ写真参照）

一、仰臥させる。

二、右足を腸骨の幅に開き、足首を内側へ曲げて摑む。（押さえたまま）

三、左足を曲げ、腸骨幅以上に開き、足首を内側に押すようにする。

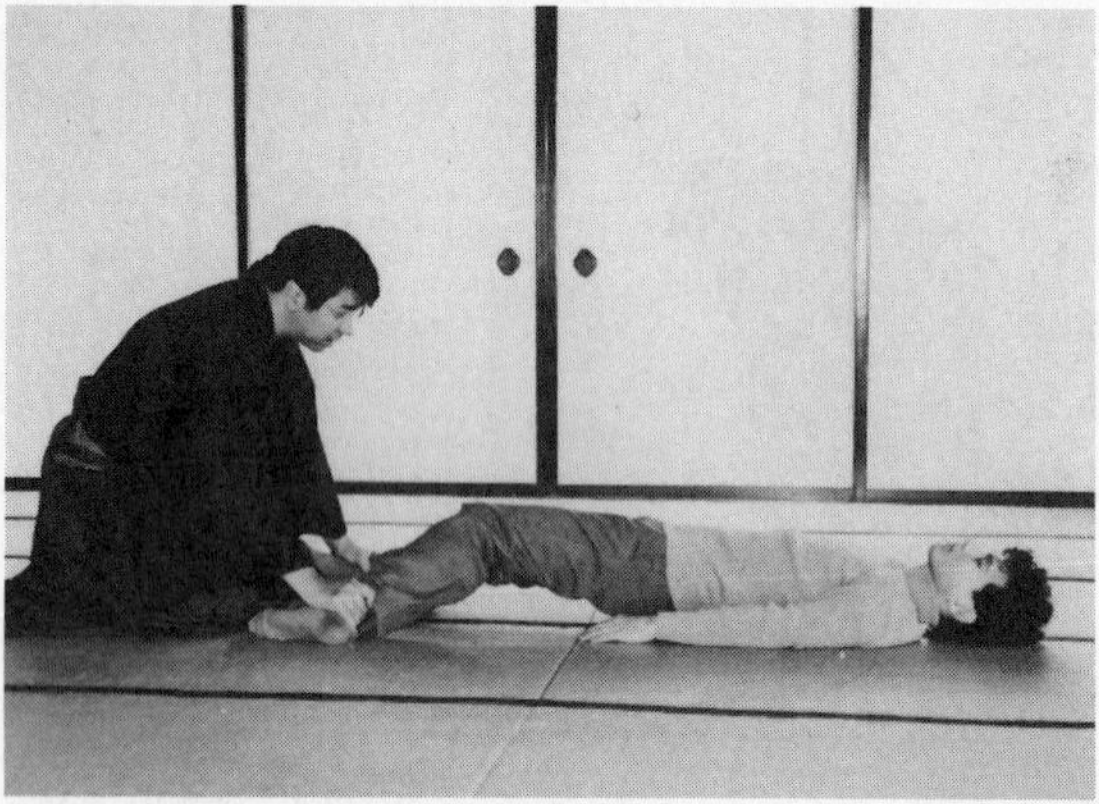

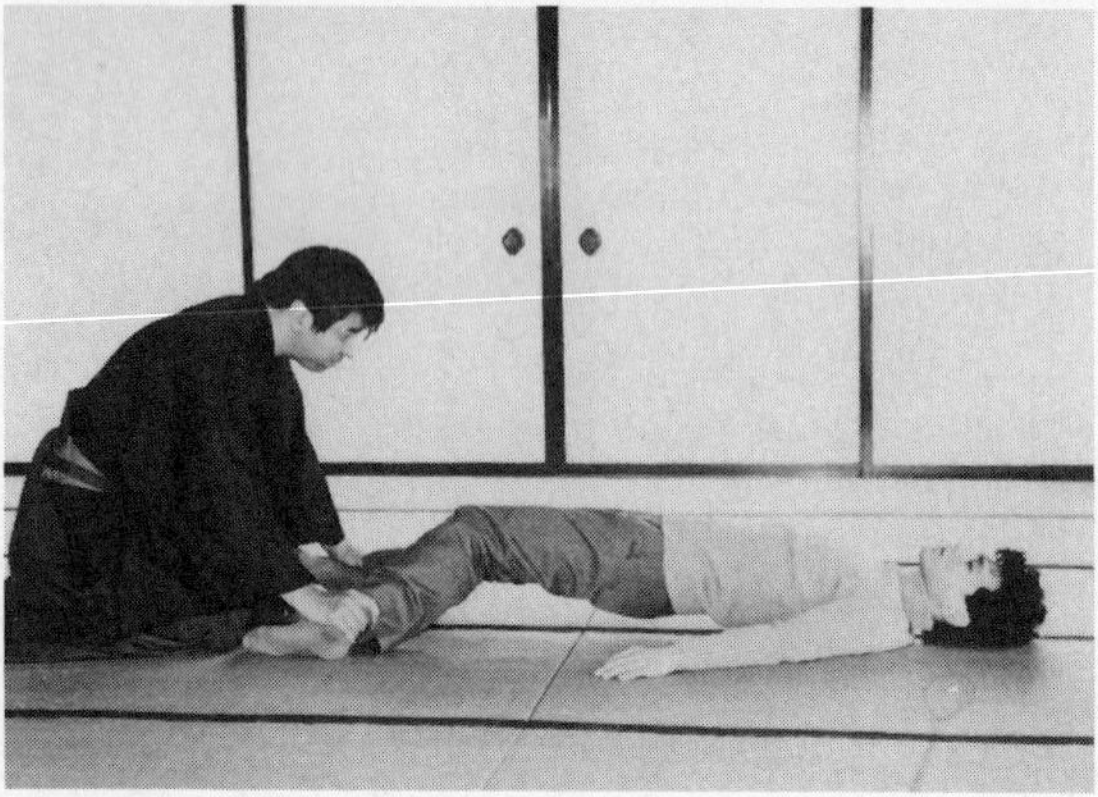

四、腰を上げさせる。手に抵抗を感じた瞬間に手を放す。

体を整えれば月経痛はなくなる

月経痛は、体の捻《ねじ》れている人にあるものです。それゆえ、体が捻れる傾向を正せば自ずから月経痛もなくなります。それも、同じ体が捻れるといっても、月経痛の原因になる捻れは腰椎一番と腰椎四番が捻れている場合だけです。

したがって体操にも、腰椎一番の捻れている人が一時、痛みを靖《やす》めるためにする体操と、腰椎四番の捻れている人が、体癖修正を目指すために繰り返してやる体操に分かれます。また、月経を正常に経過するようにする体操もあります。

この三種類の体操が基本となり、各個人に適合するよう再設計することが望ましいのですが、近くに整体指導者がいない女性は、自分の体の感じで快く感じる体勢、または寝相の形に近づけて行なえば大きな間違いはないはずです。

従来の常識では、月経時には体操を休みますが、体操が生理に影響するということは、体操によって月経異常を正し得るという反証でもあるわけです。

この体操は月経予定日の二日前に行なうのが望ましいが、始まってから行なっても無効ではありません。終わった日に行なえば、次の月経時は痛みません。

月経を正常にする体操

写真のように仰臥して、腸骨の開いている方の足を「く」の字型に曲げて、腸骨の上

縁の開きが平均するようにします。

片方の足は、足内踝《うちくるぶし》が腸骨の外側になるように開き、息を吐きながら両足を少し持ち上げます。この場合、大腿後面が畳より離れないといけない。そして、その持ち上げた力が腰椎三番に及んだ時に、息を吐ききった瞬間に両足を落とし、そのまま呼吸が平静になるまで動かないこと。この場合には、腰の下側に薄い枕などを入れてやるといっそう効果がある。

出産前後の問題

悪阻《つわり》の処置

受胎するとだんだん腸骨が拡がっていくのですが、この拡がりが自然であれば悪阻《つわり》は ない。が、腸骨のどこかがつかえると、開くための迷走神経の緊張過度が悪阻という現象を起こす。

悪阻は母体内の新陳代謝の異常によって起こる自然現象である、という説がありますが、もし悪阻が自然現象なら妊娠しているかぎりおさまるわけがない。それでは誰もかれも悪阻をやらなくては受胎できないことになります。

ところが、私の指導で分娩した人々には、満足に悪阻をやった人は一人もいない。一人もいないのだから必要欠くべからざるものではない。やはり悪阻は異常現象の一つと見なすべきである。

腸骨がスムーズに拡がっていれば、悪阻はない。そこで拡がりがつかえている場合には、縮んでいる方の腰椎五番を押さえればキチンとなり、それで治る。悪阻はなくなります。

悪阻を自然の生理現象として肯定して、それをなくそうと思って努力してみても、かえって逆効果をもたらすおそれがある。だから、まず「悪阻はいらないものである」という心理指導をすると、妊娠中は被暗示性が極端に過敏であるから効果が上がります。

これは悪阻にかぎらず、どういう操法でもその背後にある心を理解しないと本当は使いこなせない。その操法を作っている由来、因縁、来歴を憶えてもらわないと本当ではない。

分娩後の起き方

出産は、体を変えるチャンスです。骨盤の両側が同時に縮みだした時に起きさえすれば、母乳も順々に濃くなるし、親の体もキチンと引き締まってきます。

ですから、お産の急処《きゅうしょ》は産む時ではなくて、起きる時期を見つけることです。この時期に起きれば、「出産は美容法」となるのです。お産をするごとに美しくなれるのですから、みんな安心してどんどん産んでいい。

分娩したあとで骨盤が両方動き出す時に起きさえすれば、全然今までとは違った美しさが出てくる。美容だけではなく、健康状態はもちろんのこと、体の動きも迅速になり、自然に力が出てきます。

それほど大事な起きる時期を見極めるということをやらないで、アメリカで一日で起こすというと、日本でも一日で起こしてしまう。もし、二十一日間寝ていなくてはならないという説がアメリカで流行《はや》れば、これまたすぐ真に受けて、何でもかでも二十一日寝かしておくかもしれない。

その母体に即して起きる時期を決めていないということが、出産を年をとる促進法にしているのです。起きる時期を間違えなければ、四十歳を越してからお産をしても、みな若くなる。

出産の時には骨盤が開きますが、産後、骨盤は左、右、左、右というように交互に縮むのです。そしてそれが両方揃って縮む時期がきますので、その時期に起きればいいのですが、骨盤の縮む力を体の真中に感じることはむずかしい。そこで体温を測って、左側と右側の体温の差がなくなった時に起きればいいのです。この方法だと簡単ですので、どなたでも正確にできることでしょう。これをキチンと行なうと、産後の膣部が弛緩しない。

母乳を出す法

よく、お乳が出ないという訴えをききます。「私はどの子の時もお乳が出なくて……」などと、まるでお乳が出ない体があるようなことをいっている人もありますが、お乳の出る出ないは、やはり分娩後の起こす時期に関係があるのです。

お乳は骨盤が拡がりきりだと出ない。だから骨盤の縮まる前に起きてしまうと出ません。骨盤の収縮が左右揃った時に起きればお乳が出ないということはありません。ところが片方が縮んでいる時に起きると、骨盤が曲がって固まってしまう。そうするとお乳は出ないで自分だけ太ってしまうのです。

お乳は子供の成長につれて自然に濃くなるものですが、適当な時期に起きないと、お乳が出ないだけでなく、このお乳がだんだん濃くなるということがうまくゆかないのです。量はあっても質が悪くて、子供が栄養不良になるのも、骨盤のせいの場合が多い。

だから骨盤の位置を正さないとお乳をよく出るようにすることはむずかしい。骨盤の拡がったのを矯正するのは特殊な技術を要するので除くとして、臨時に出す方法は、お乳を下から上に持ち上げて愉気《ゆき》をするのです。そして「産褥《さんじよく》体操」を一回する。

お乳が固まっているのを、一生懸命痛いのを我慢して揉む人もありますが、そうしても出るとはかぎらない。下から持ち上げるように愉気をしますと、すぐ出てきます。出てきたら絞《しぼ》り出して、また愉気をしてください。ポツポツ垂れるようになった時に絞れば痛くありません。痛いうちは絞らず、愉気をつづけます。二、三回もやればお乳は出るようになるはずです。ただし、哺乳することをいやだと思っている人は、出が悪い。しかし哺乳する快感を感ずれば、いやがらなくなるでしょう。哺乳は子宮の収縮の促進法ですし、骨盤を正規にする方法ですから、なるべくした方がよい。

それから、お乳の質がどうしても濃くなってこない時には、仙椎《せんつい》のつながり目に愉気をしますと、多少おりものも多くなりますが、お乳は濃くなってきます。そして親はあまり太らないですみます。

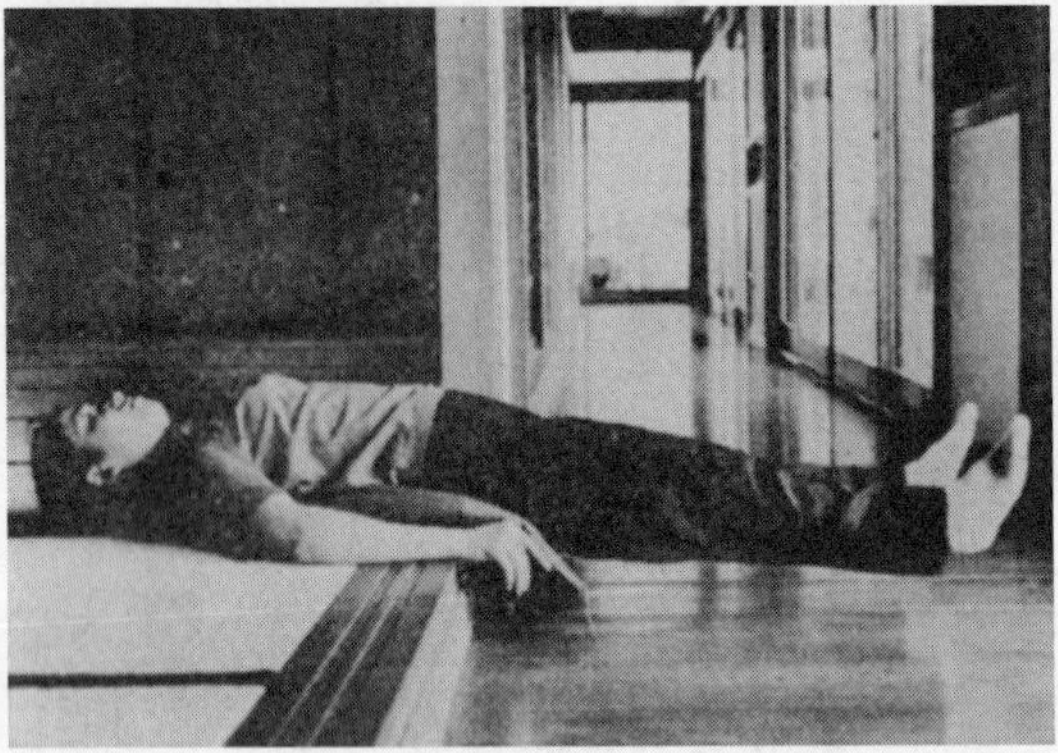

産褥体操のやり方

(1) 台の上に、縁《へり》が仙椎二番にあたる位置に仰臥。

(2) 足を腸骨の幅に開く。

(3) 息を吐きながら、左右の腸骨がそろう位置まで足を持ち上げ、吐ききった瞬間に落とす。

意識不明時の処理法
——脳活起神法——

けいれん等の場合

人間の体は、外部のショックで生きたり死んだりしますが、そのショックが最も入りやすい処《ところ》が「活点」と「禁点」といわれる処です。これらの部分の使い方で、人を生かすことも殺すこともできるのです。

この間、京都からの帰りの車中で、研究生の一人が卒倒したのを手当てしたのが「脳活起神法」というやり方で、これは頸部活点という首の一番上の骨の両側に、活を入れるというものです。

もし、打撲して失神してしまったら、自分ではどうにもならないが、他人だったら頸椎二番を押さえ、引張《ひっぱ》りながら角度を変えれば意外に簡単に正気づく。この方法は、打撲による失神ばかりでなく、てんかんや中毒の場合のけいれんも、日射病で倒れた場合でも、息はしているが意識のない状態の時に使うと有効だから、身だしなみとして、身

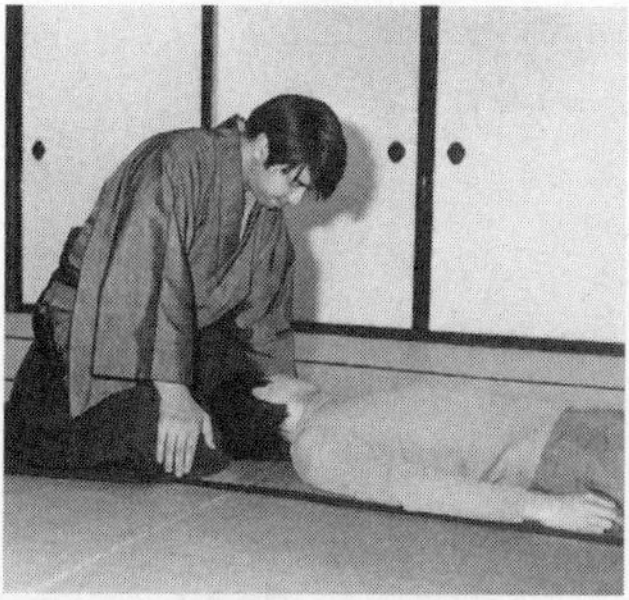

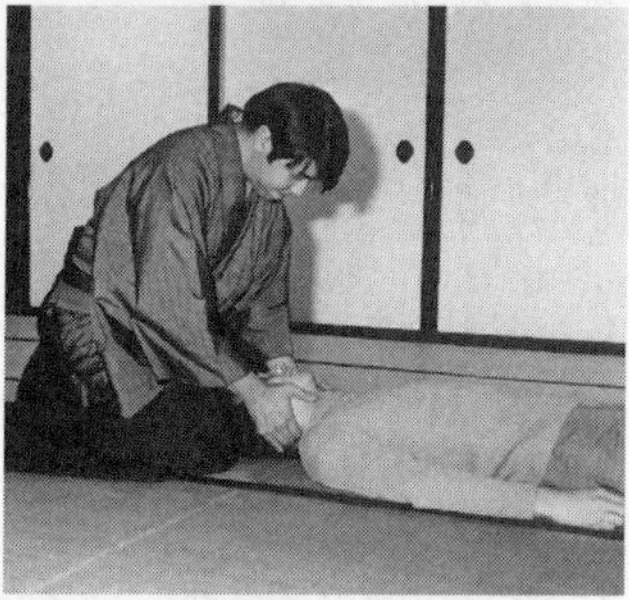

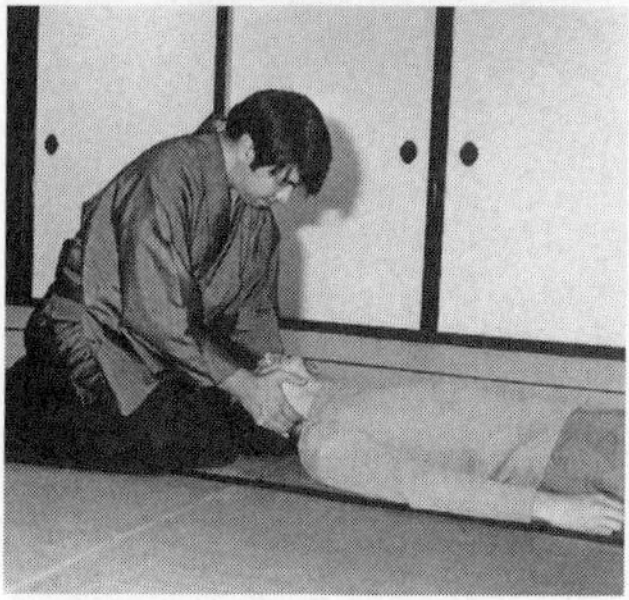

につけておきたいものです。

方法は簡単、けいれんの場合は、どちらか一方に首を曲げています。そこで仰臥にして、両中指を頸椎二番(頸椎一番には棘突起がないから、一番上に触る首の骨)に当てて、引張りながら顔を真上に向け、さらにもう一度、アゴをつき出すようにして、力が頸椎二番に集まるように引張ります。

これで、たいていのけいれんは止まりますし、失神している場合でも気がつきます。けれども、てんかんの場合は一気に止めきらないで、意識がついてけいれんが止まったら、少し間をおいてから、もう一度押さえるというのがコツです。こうしておくと、毎々繰り返すということがなくなります。

日射病等の場合

日射病は、日蔭に寝かせて衣服を弛《ゆる》めて鳩尾《みぞおち》に愉気をすると、たいていの場合はそれだけで恢復します。しかし時にけいれんを起こしたり意識不明になったりすることがあります。その時は日蔭の場所に移し、脳活起神法を行なえばよい。

脳貧血も目まいも、一八一ページの写真のように、上頸を押さえてグルグルと「の」の字型を描くか、上頸をちょっと押すようにして持ち上げては弛《ゆる》めるということを、二、三回繰り返すと、一、二分で治ります。鳩尾をギューッと押さえてゆすぶっておくとなおよい。

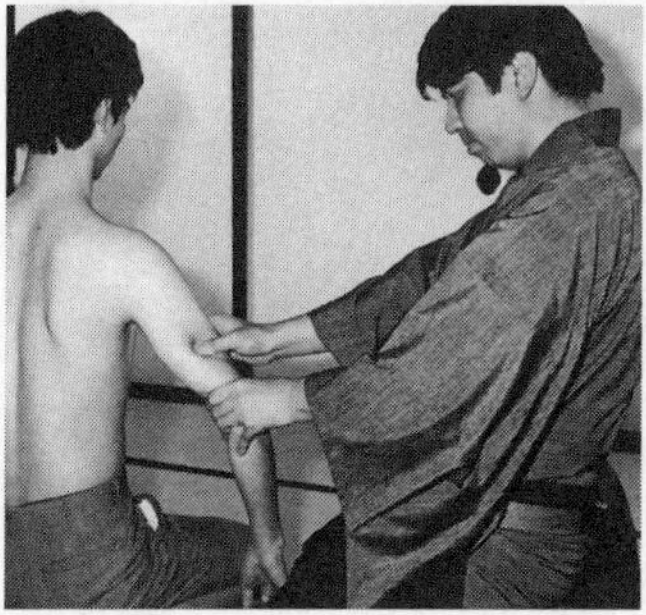

化膿した時、毒虫に刺された時──化膿活点──

虫に刺された時、クラゲやオコゼなど毒をもったものに刺された時や、釘《くぎ》などをふみ抜いた時、生爪など化膿を警戒する必要のある怪我などに使うと効果があります。上の写真の場処（上膊部）にコリコリができるから押さえればいい。これは自分で簡単にできます。

ただ、その前に、刺された場処、怪我をした場処の血を、できるだけしぼり捨てること。こうすると、血液と一緒に毒素も洗い流されるからです。愉気をしておくとなおよいが、腫《は》れたのなら、もう心配はない。

水虫等、「皮膚病一切奇妙」の話

恥骨を押すだけの特殊操法

これは、同志・野中豪策君の案出した操法で、彼が命名したものです。その要点は、恥骨の角を指で押せば、ニキビでもソバカスでも、疔《ちょう》や瘍《よう》でも、水虫でも回虫でも治るというのです。

私は、昔は病気を治療することを目的として、体を研究しておりました。その後、修理の繰り返しでは本当に人間は丈夫にできない、不摂生の後始末を上手にやれば、いよいよ不摂生し、ついには、自分の体を自分で管理することもできなくなってしまう。これは体の使い方を指導するようにしなくては、大勢の人を丈夫にするわけにはゆかないと気づいたので、整体指導をするような方向に転換したのですが、野中君はこの病気治療時代に結ばれた人で、今は故人です。

野中君は、「皮膚病一切奇妙」などと命名した方法を整体操法の中にとり入れろと、しきりに主張します。「困るよ、そんな怪しげな名前の操法は。第一、ニキビと水虫でも原因が違う。同じなのは、皮膚に出るということだけじゃァないか」と断りつづけました。

何十回も彼は主張します。皮膚に出るということだけで共通している。それなら、その皮膚が強くなれば、治るのだって不思議ではないと気づいたので、それでは全国の同志に方法を伝えよう、そして効果があったら入れようと妥協しました。その頃協会は、効く方法は理論によらず集めよう、そしてみなで実験して、一人二十例以上同じ効果を上げるものは、整体操法に入れて残そうという立場で実験をしておりましたので、野中君の方法も断りきれなかったのです。

しかし唐突な方法なので、どうせ効果はあるまいと思って、ともかく方法を伝えましたら、効果の著しいという回答ばかり集まります。でも、入れたくないので、今度は一般の会員に実験を依頼しましたら、これは指導者の場合より、もっと効果が上がったという報告ばかりです。そこで私もやってみました。効かない方がよいと思いながらやったのですが、実によく効くのです。残念ですが特殊操法として、これを入れました。

そのやり方が簡単なので、初めてやる人は、その効果を見て妙な感じになるそうです。広島の中本君のお父さんは、最初、整体操法をやることに大反対でしたが、機関紙で見たこの方法を内緒でやってみましたところ、年来の水虫がすっかり治ってしまった。驚いて娘を入会させたそうですが、水虫に困っている人が多いので伝えると、みなよくなるということです。私も伝えましたが、習った人はそれぞれ効果を上げております。

野中君は、癌だって内臓の皮膚にできるものだから効くと断言しておりましたが、私もそこまではついてゆけません。しかし実験した人の報告には、本当かしらと考えられるようなことが実に多い。そのうち私は、病気治しと縁を切って、体癖修正の方へ向いてしまったので忘れておりましたが、今度この書物が出版される機会に、野中君の見つけた方法を記さねばすまぬと思って、故人の徳を偲《しの》んで記しました。皆さんで実験してください。私は皮膚病の他、体の真中の異常の時に使って効果のあることを知りました。全く面白い方法です。

恥骨操法のやり方

(1) 仰臥して、恥骨の上縁を押して痛い個所に指を当て、下（足の方）に押し下げるようにして、同時に息を吐きながら腰を持ち上げる。
(2) 吐ききったところで腰をストンと落とす。これを二、三回繰り返す。
(3) 他人が手伝う時も同じ要領でよい。

腰椎ヘルニアの正し方

異国で病む

Iさんが、腰椎ヘルニア（椎間板ヘルニア）で三年間も歩けない外人の腰へ愉気《ゆき》したら、歩けるようになった。その人は喜んでお礼を申し出たそうですが、Iさんは例の調子で辞退し、私に愉気の方法を習ったのだから、礼をしたいのなら私にするように申したのだそうです。それ以来、私のところへ、もう五年半も毎月切手が送られてきます。私の子供が切手に興味のあることをIさんが話したためでしょう。

腰椎ヘルニアというと、私にも印象深いことがありました。だいぶ前のことですが、古川さんという人が、かかえられるようにして道場に運び込まれました。私が愉気をして、「立ってごらんなさい」と申したら、立てて歩けた。さぞ喜ぶだろうと思っていたら深刻な顔をして、彼は残念だというのです。私は意外でした。「それほど残念なら元のようにしましょうか」といいましたら、その人は、「いやとんでもない。実は、私は雄志を抱いてアルゼンチンに渡って仕事をしておりましたが、腰が痛み、そのうち歩けなくなり、独りで立っていることもできなくなってしまった。アルゼンチンの医者はもちろん、ウイーンからも医者を呼んでも立てない。このまま仕事をつづけることは無理だと悟って志を捨て、一切の仕事を手放し、一昨日、日本に帰ってきたのです。ところが皮肉にも帰った翌々日道場へきたのですが、ごらんの如く立ってしかも歩ける。痛みもない。もし、ここがアルゼンチンであったらと、立った瞬間に思ったのです。男子としてこれほど残念なことはない。まったく口惜しい」と涙を出さんばかりなのです。そういわれればそうだなと思ったので、腹のたったのがおさまりましたが、妙な感じでした。腰椎ヘルニアはそんなにむずかしい故障なのかと思いました。

腰は体の要《かなめ》

椎骨《ついこつ》と椎骨の間に、パッキングのような軟らかい組織があって、屈伸に応じて調節しているのですが、これが硬くなったり傷がついたりすると、椎間板ヘルニアを起こすのだそうです。分離症は骨が壊れるのだそうで、そのため、いろいろと難しい治療法が行なわれているのだそうですが、私は相手に腹に息を吸い込ませてそれと押しあって、相手の息が吸いから吐きに移る瞬間に急に手を放す、それだけで歩けるようになります。

自分でも、息の吸い込み方、吐き方を工夫すればできます。だから、腹に力が集まらない人々が腰を壊すのだと思っております。頭の使いすぎ、肝臓の使いすぎ、頭の中の間抜け状態がその理由でしょう。

私は四十何年前から、背骨のことに興味をもって見てまいりました。腰椎三番の狂っている人は立てません。寝返りもむずかしい。見ていると腰は体の要《かなめ》だナと思います。手もうまく動かない、顔を動かしても痛んでしようがない、といっている人もおりました。みな、前頭が弛緩《しかん》し、腹に力がない。しかし、腹に力が入り放しで抜けない人もおりました。七、八種体癖素質の人ですが、九種、一種体癖素質の人もそうとう多くおりました。しかし息をつめさせて放せば、動けるようになるのですから簡単です。だから、腹に息を吸い込むことを工夫すれば、壊れないでしょう。近頃自衛隊の人で壊す人が多いのですが、腹に力を入れて動作することを身につければ、飛びのり、飛びおり、牽引《けんいん》をしても壊れないですむでしょう。

痛む人、動けない人

水道配管工の腰の壊れは、ほとんどが腰椎五番です。サラリーマン生活をしている人は、腰椎一番です。腰椎一番の場合は腰がいつも痛い、ことに朝目覚めると痛い。巡査や、その他の立姿で暮らす人の腰の痛みは、腰椎一番です。ここの壊れる人は足の第一蹠骨《しょこつ》（第一指の根元部分）が発達していない、ここへ力を集めるようにすれば予防もできる。

腰椎五番が狂うと、立ったり坐ったりすることがむずかしい。ことにお辞儀するのが辛い。古くなると足の方へ痛みがひびく。故障はいろいろありますが、息の押し合いでどれもよくなるが、予防方法はその壊れ方の癖でいろいろある。へっぴり腰で引張ったり、立ちつづけ、考えつづけで腰の痛むのは、足の親指の運動。呼吸と動作が合わないか、腹の筋が硬くなっているのは、上体を捻《ねじ》ると痛まないで動作できる位置があります。これには減食、活元運動がよい。動けない場合は、腹へ力を入れ抜きすることを素早く何回か繰り返す。これを時々やる。

悪いうちは、右が痛いか、左が痛いか自分で判らない。真中が痛いなどというのは、判らないのに答えている人です。左のこの部分がこのように痛い、と説明できる人はすぐ動けるようになる人です。ここか、ここかときくたびに痛んだ場所の違う人は、動けるようになっても痛む、もう一度やらなくてはいけない。

たいていは二、三回でよくなりますが、頸椎が狂って腰の痛んだ人は、仙椎部をショックしないといけない。むずかしいがこれを行なうと頸椎のヘルニアがよくなってしまうのが多い。ムチウチ症の時など、首をいじるより治りが早い。

ムチウチ症と被害者心理

頸椎の異常だけではない

近頃、「頸椎ヘルニア」、いわゆるムチウチ症という、頸椎五番または六番、七番の異常が大きな問題になっています。

けれども自動車の衝突事故は、今までも始終あったのです。それが最近になって圧倒的に増えたのはなぜだろうか。そういう人が道場にもたくさんくるので調べてみると、ぶつけられたのだから首が狂ったはずだ、狂ったのだから手がしびれるはずだ、しびれているからこういうようにムチウチ症状が起こるはずだ、という観念症状、あるいはムチウチ症という言葉の自己暗示によるものが非常に多い。今まではこんなに多くなかったがなと思ったが、事故の増えた割合を計算に入れても何十倍か多くなっています。だからムチウチ症といわれるものの中に、観念症状がかなり多くなってきているということは確かです。

そこで、ムチウチ症の精神分析的処理方法を考えないと、その処置を完璧に行なうことがむずかしいということが判ってきました。頸椎六番、七番が狂ったままでもムチウチ症状がなくなってしまったり、矯正されたのに症状の方はそのままだ、というようなことが、かなり多くなってきました。

以前はムチウチ症状は、頸椎の曲がった人達だけが訴えるものでした。ところが「いろいろとやってみたけれども、どうしても治らないから先生にやって欲しい」と、整体指導をやっている人達が連れてくる人の首をしらべると、教えられたことをキチンとやってすでに頸椎の異常は正しているのに、治りきっていない。治らないムチウチ症状というのが意外に多い。そういうのに心理処置を行なうと、すぐ治ってしまうのです。「やはりあそこに行ったら治った」という。しかし、すでに治っているのに、治ったという確認が行なわれていなかっただけで、それを私が当人が確認するように仕向けただけなのです。

だから、頸椎六番、七番という骨を矯正する技術の他に、ムチウチ症の観念症状とか、心理ショックとかを処理する方法が判らなければ、ムチウチ症の処置はできないということになる。

そういう観念的な病気というものは意外に多くて、当人が納得するまではそれがつづく。想像妊娠のように分娩日がきたら凹むようなのなら別に心配はないが、無期限に、未来永劫に持って歩く症状もあります。乳癌とか胃癌とか子宮癌とかいうことに始まって、いろいろな病気にそれが多い。病気の九割がこういう観念症状ではないかと思う。

一つの病気が有名になってくると、だんだんそういう傾向が起こる。ムチウチ症状も「頸椎ヘルニア」といっているだけだったら、おそらく割に簡単に、骨さえ正せば治ってしまったろうと思うのです。その証拠に、四年前は、誰がやっても頸椎を正すと同時にムチウチ症状も治っていました。怪しげな、なかなか治らない病人が出てきたのは三年前からです。それが最近になって圧倒的に多くなったのはなぜだろうか。

被害者意識のもたらすもの

一つは交通事故というものが、早く治ってはつまらない、重ければ重いほどよい、もうどうせ命にはかかわりがないのだから、重い方がゆっくり療養できるし、重ければ重いほど見舞金も余分にもらえるというような、功利的な理由で治りにくくなるという面がある。交通事故には多少ともそういう傾向があります。

この間も衝突事故で自動車がペシャンコにつぶれたので、まわりの人も巡査もみな死んだと思っていたら、這《は》い出してきて、びっくりしたといわれた人がいました。

私のところに担ぎ込んできたので私が治しました。三日たったらすっかり治ってしまいました。全部治ったといわれたら、当人は、「もう何にも怖くない、将来はレーサーになるんだ。命なんて偶然のものだ。あんなにペシャンコにやられても何でもない。三日で治ってしまった」といって喜んでいました。ところがさて示談という時になると、「あれが三日で治ったのでは体裁が悪くてしようがない。もう少し治療費をたくさん払ったことにしてくれませんか」といってきた。

たしかに災害を受けた者の心理からいえばそういう面があると思ったが、早く治ったのでは肩身がせまいというような要素が、交通事故の場合には非常にたくさんある。

宮田さんという人の息子さんが怪我をさせた人もそうで、私が腰をショックしたら、それっきり首まで治ってしまった。

「治ったじゃないか」

「でも今までワイワイ騒いだから何だかきまりが悪い。方々の病院でダメだといわれて、二年かかるとか三年かかるとかいわれて、自分でも覚悟を決めていたが、宮田さんに連れられてここへきたらすぐ治ってしまった。ほんとにありがたいんだけど何だか具合が悪い」

「ちっとも悪くないよ。半年通うといって示談をして、それがすんだらもうこないでいい。早く示談にしてしまいなさい」といったら、すぐ示談にして、半年通うということにして見舞金を受けたら治ってしまった。そうしたら「宮田さんに悪い」という。「ぼくが宮田さんに話しておく。それでもう一回スキーに行ったらいい」といったら「何ともなかった」といって帰ってきました。宮田さんには「スキーに行く費用を、あなたからもらえといっておいたから」と伝えておきました。そうしたら宮田さんの方でも「大助かりですよ、いつ終わるかわからないで二年も三年もかかったら大迷惑だからちょうどよかった」ということで、その点うまく話し合いがつきました。

交通事故には、そういう何かプレミアさえつけば疑似症状が起こらないですむ面が多分にある。そのように、交通事故の被害者の心理の中には、そういう疑似症状を要求する動きがあるのです。

マゾヒズム的傾向の強い人がなりやすい

しかし、ムチウチ症における問題はそれだけだろうかというと、そうではありません。ムチウチという言葉は、人間の持っている性欲の中でも、ときに異常性欲状態と結びつくのです。最近は異常性欲の人が多くなって、結婚しても満足に夫婦の交渉ができている人は、きわめて少ない。結婚しても結婚する前と同じ顔をしています。それはうまくいっていない証拠ですが、非常に多くの人が、そういうインポテンツ的な傾向、もしくは成長不全状態を起こしています。

そこである種の性欲変態状況になって、余分に騒いだり、派手に嬌声を発したりして自分を余分に主張することから始まって、自分を受け身にもってゆくマゾヒズム的傾向、あるいは人に危害を与えようとするサディズム的傾向の人が、非常に多くなってきた。こういうことが多くなったのは終戦後ですが、ここ二、三年特にそういう傾向が顕著になって、新婚旅行から帰ってきたお嫁さんの顔を見てオヤオヤと思うことが多くなりました。

結婚してもいっこうに前と変わらないのです。そういう中には性器不全状態というものがあり、性器不全状態は性欲の変態状況になりやすい。

ムチウチ症という言葉は、マゾヒストの最も好むところのもので、絶対に治りたくなくなってしまうということになってしまうのです。

けれどもそういう性器異常の方の転換を行なうと、ムチウチ症を気にする傾向がなくなってしまうということを経験してからは、ムチウチ症だということを過大に表現するだけでなく、人間の本質の中に、こういう病気になっていたいという要求があるのだということに気がつきました。それに気づいたら、ムチウチ症状を治すことが非常にやさしくなりました。

つまり首の骨を正しただけではダメで、その被害者の心に触れなければ治らないのです。「少し余分に見舞金をもらってスキーに行ってきたらいい」というのは被害者の心にとび込んでいった場合です。

人間には、性欲とか本能とかいうものがあり、そういうものの中には、受動的な自己主張もあります。それが変態になればマゾヒズムですが、受動的な自己主張、あるいは女性的な本能を持っている人がムチウチ症になりやすいのです。

女性的な本能は男にもあって、女性的な要素が多い場合には、誰かにいじめられて快感があるとか、さんざんボロクソにいわれたら胸がスッとした、とかいうような傾向になります。

けれどもふだんその傾向のない人でも、被害を受けたということの連想から、受動的な面だけが強くなってしまっているという場合も少なくありません。そういう方面に対する処理の目が行きとどかないと、骨を正してもムチウチ症状は治らない。

ムチウチ症状を治すのに、骨さえ正せば治るように思って、よく、首を吊ってみたり、いろいろなことをやっていますが、多くは失敗しています。

首を長い間吊るということは非常に窮屈でつらい。そういうことが、被害者の裡《うち》にあるマゾヒズム的な要素を満足させている面がないとはいえません。

私のように、首をガクンとやるとアッという間に治ってしまうというのでは、まったくつまらなくて、そういう心に触れていないかもしれない。

そこで私はそういう要素を転換する場所を他に作っておいて、首でやらないで他のところでやらせるようにしてしまうのですが、心とか本能とかいうものの中に入っての処置をしない限り、ムチウチ症はうまく治ってゆかないのです。

交通事故の被害者には羨しいことでしょうが、アメリカでは、頸椎ヘルニアは死亡事故に次いで保険金が高いのだそうです。日本でもそんなことになったら、ムチウチ症がもっともっと増えると思うのですが、本能の要求を満たして、親切にしてもらって、その上慰藉料までたくさんもらえるのだから、ちょっとやめられないと思います。だからこれからもますます増えるだろうと思うのです。

私は、ムチウチ症さえ治していれば食べてゆくのに不自由のないくらい、大勢の人を治しました。中には、レントゲンで撮《うつ》すと異常がある、だけど実際には異常がないというのや、レントゲンで撮しても異常がない、しかし実際には異常がある、というような妙な現象がたくさんありましたが、どちらも本能的な要求を代用する場所を作ることによって治ってしまっています。

自己同情型には痛みを与える

そこでムチウチ症状を治そうとする場合には、まず被害者心理について研究しなければなりません。

被害者の心の中には、人に害されたということに対する憤り、悲しみがある。と同時に、害を与えられるような立場だったということに対しての自分への同情がある。

そして、いつのまにか、自分をかわいそうなものだと思い込んでしまっています。憤りがあって相手を攻撃する方は陽性ですが、悲しい方は、自分で自分に同情しているのです。

その自己同情ということが起こると、被害症状はドッと多くなって、いろいろな異常が内攻し、しかもつづく。あとになって異常が出てくる「後遺症」というものの大部分は、自分で自分に同情する心が動くからです。慢性病でも、自分で自分に同情したり、自分がかわいそうだとか、みじめだとか思うようになると、病気は急に悪くなります。

そうなった頃からマゾヒズム的傾向が強くなってきて、それがつづいているうちに、かわいそうな自分がいよいよかわいそうであることに快感を感じ、みじめな自分がいよいよみじめになってゆくことに関心を抱き、同情をもち、同時にそれが快感に変わってゆくということになります。

自分への同情というのは、他人は自分のように同情してくれっこないから、他人には、むしろ与えられる面を望むようになっているのです。

そういう点では、痛いという操法は安心してできるという特色があります。痛いこと、苦しいこと、こんなにひどいことをされなければ治らない、それほどひどい目にあったんだ、そのために片足が不自由になった、寝たり起きたりの生活をしなければならない、とそれでもどこかで満足している。しかし、そういうところで酔っ払われたのではこちらが困ります。自分への同情に酔うこともほどほどにして、早く正常なところに引き戻さなければなりません。それには、治すのにも、痛いことに満足しながらも逃げたくなり、逃げて行きながら満足するという痛みの与え方が必要です。ただ余分に痛いからそういう気持ちが満足するのかというと、そうではありません。心のもうひとつ奥にその痛みが入ってゆくようにすることが大事なのです。

頸椎の異常を治す場合、もしも相手にマゾヒズム的傾向が起こっていると見極めたら、痛みを与えるという方法がどんなテクニックよりも効果を発揮する面があることを知ってほしいと思います。

性生活の問題

体が示す結婚報告

近頃、新婚旅行から結婚前と同じ顔をして帰ってくる人がしばしばいます。中には結婚前より乾《かわ》いた顔をしている人もいる。もし結婚したということが、生理的に全く行なわれたとすれば、当人達がかくしていても、輝かしい顔つきになる。男は逞《たくま》しさが現われ、女は愛らしさに包まれる。これが体が示す結婚報告とでもいうべきものであるが、見送った時と同じ顔つきで帰ってこられたのでは、結婚が行なわれたか、ちょっと気にかかる。

もっとも性の知識は曰《いわ》く秘すべしで公開されておらないものですから、無知識で二人ともどうしてよいか判らなかったのかもしれないと思う人もあるでしょうが、人間には乳児が乳を飲むように本能の智慧が働けば、知識の有無はそう重要なことではない。かえって近代生活では、いろいろと知識で行動することが多くなったため、体の勘を失って、本能的な感覚が働かなくなったのかもしれない。あるいは知識で行動しようと焦って、性のエネルギーになるべきものが、頭の方に昇華してしまって、体の方がいうことをきかなくなったのかもしれません。

実際、近頃の雑誌や書物には、いろいろとその方法が論じられています。たとえば十五系統の体位とか、四十八の方法とか体位とか、古代のいろいろの方法まで紹介されておりますが、さてどれにするかとなると、相手の生理的な感受性特性を理解しないかぎり、適用はできない。そこで、あてずっぽうにいろいろと工夫していると、かんじんな最初の衝動はなくなり、感激も去ってしまう。そのためかもしれません。

行動のもとになる体の勘

ともかく、性に対する体の勘が鈍ってしまうと、知識だけでは、それをよび醒《さ》ますことはむずかしい。ただお互いが、頭の中だけでなく、体で快感を感じないかぎり醒めない。意識を捨て去って自然に動かねば、手淫とたいして変わりはありません。だいたい、結婚というもののむずかしいことは、一方が男であり、また、他の方が女であるということにあります。男と女とは、元来、体の構造は全く異なる。その感ずることも動くことも異なる。一方は月に何箇かの卵をつくるだけなのに、一方は日に何億という精子を産む。似ているのは運動系の構造ぐらいのもので、体構造の全体からいえば、女は人間の男より、虎の牝《めす》の方に近い。しかも育った環境も違えば、ものの考え方も違うのですから、気の合った同士でコンビをつくるということにくらべると、結婚ということはスムーズにゆく可能性はズーッと少ないのです。

先日も、女は人間の男より、虎の牝にくらべる方がズーッと構造的には似ていると話したら、「虎の牝にくらべるとは何事です！」と五十ぐらいのおばさんから叱られましたが、その声は虎に似ていた。もっとも蜘蛛の牝にくらべたってよいのですが、脊椎《せきつい》動物だから、馬とか鹿とかにくらべたらもっと苦情をいわれると思ったから虎にくらべたまでで、男には、女を虎というような猛獣用語で表わす方が、感じからいえば本当に近い。

それぐらい異なった動物が一緒に暮らし、しかも何十年となく一緒に仲良く暮らせるのは、精神的な経済的な問題以外に、性生活という生理的な問題があるからで、それがあって円満に暮らせるのであります。

その性生活のもとになるものは、お互いの行為に「気」が行きとどき、相手の快さを育てるように行為するからに他ならない。相手の裡《うち》に気を行き渡らせ、自分だけで行為しない。それは人間のいう愛情のもとである。性生活における体の勘の鈍りは、お互いに気を行きとどかせるという愛情を知らず、ために利害得失とか、毀誉褒貶《きよほうへん》とか、勝つとか負けるとか、そんなことばかりに気が集注する。ジーンと胸の熱くなるような、そういう感じを知らないまま生活するというのは、かわいそうなことであります。結婚ということに、人間以外の財産とか、地位とか、何とかいうものばかりを対象にして選択している人が多くなり、温かい愛情で暮らす人が少なくなったのは、この辺に理由があるのかもしれません。

体の勘が鈍り、その上、体力は頭へ昇華し、しかも方法の知識で感激は薄くなり、さらに、人口調節の問題をその中で考え、工夫せねばならないようになったのでは、古代人だって一気に行為はできないでしょう。

しかも、そのあまり少ない体力では、急ぐのも無理はない。早漏傾向は現代人の共通のことであるが、それでも野蛮な力を持つ人もいます。しかし相手は妊娠を警戒し、しかも女は男より、発動も、興奮も、快感も遅い。力がなければないで早いし、あればあるで急ぐのも、自然の感じから遠ざかる。この辺に近頃の女性が愛情より頭で生きるようになった理由があるのではないだろうか。ともかく性生活が、人間の生活の中で、重要な位置をもっていることは確かであります。

性は勢いである。これを動かすのは気である。意識して工夫していると、勢いは弱くなる。気がとどかないと、勢いがあっても、一方的では本当の快感は生じません。性は体の中の勢いですから、その感度の高まりは、息に現われます。その息が熱くならないうちは、熟していない。その気を抑えれば、感じも静まる。その気を集めれば強くなる。その気を通せば、相手の感じも、気の動きも判る。しかし判って行為しようとしても、体の勘が鈍いと、その如く動かない。

もっとも性行為だけでなく、相撲《すもう》をしても、頭の中の計算通りしか動けないようでは下手《へた》である。相手の動きを無意識に感じ、咄嗟《とっさ》の動きについてゆけるよう、体の勘が働かねば上手ではない。他のスポーツでも、労働でも、無意に感じ動く体の勘を失っていては本当の行為ではない。人間の運動というものはそうできているのです。飯を食うのだって、いちいち自分の指の動かし方を意識して動かしていたのでは、うまく食べられない。嚙む数を数えていても、呑み込む時を考えても、意識だけでは本当の動きになりません。勘をとりもどすよう行為することが大切です。

腰髄《ようずい》行気法の仕方

性のもとは、後頭部と腰にある。首もそうです。性の勢いのない人は後頭部がやせ、首に力がなく、腰が伸びない。ことに丹田《たんでん》の部分に力が入らなくなります。臍《へそ》の下、指三本のところに穴がある。この穴へ指を当てて息を吸い込むと、その穴だけが盛り上がってこない。こうなれば老いである。それゆえ、後頭部から、首、背骨を通して、腰に息を吸い、丹田に吐く。または丹田まで吸い、吐くを意識しない。または腰まで吸って、あとは意識しない。これが性の勢いを蓄える法です。平素はむずかしいが、行為の後は容易にできる。これを「腰髄行気法」といいます。腰で止めるのは、行為の前で、丹田に吐くのは行為の後である。平素は丹田まで吸う。

寝る前に行なうと眠りにくくなり、腰が硬張《こわば》る。それでも眠ると、朝、腰が痛いが、これは効果です。繰り返していると、気を集め動かすことは、勢いをつくり出す力であることが体で判ります。性のことは頭で判っているだけでは駄目です。

気を背骨へ通すことができたら、そのあと耳根部（耳のうしろの付根部分）に手掌《てのひら》を当てて行気する。そして軽く擦《こす》る。気は精神集注によって集まり、呼吸によって動く。そんなことはありえない、といっていた人がいましたが、その人が宴会で歌わせられることになり、座の真中に引き出された。元来が下手である。その上、歌を知らない。何を歌おうかと惑っているうちに顔が赫《あか》くなり、赫くなったと気づいたら、いよいよ赫くなり、自分の体がどんな恰好をしているのかも判らなくなり、顔だけになってしまったそうです。赫くしまいとするほど、赫くなり、とうとう引きさがってしまったとのことですが、その人は、その直後、行気するということを悟ったそうです。気がゆけば血がゆく。顔に気がゆけば赫くなる。それを腰へ気を行かせればよいと気づいて、腰へ行気し、長年のインポテンツ状況から脱したとのことでした。ある人はキスされたとたんに、裡《うち》のストーブに火がついたと語っていましたが、これまた、気の交感作用というべきでしょう。気によって無意に動くことを会得することに、性生活を高める道があるのです。

性異常と体勢

問　結婚相手を得た場合、その人の性が正常であるか否か見分ける方法はありますか？

答　気で感ずる、それが正しい。理屈をこねていると判らなくなる。

問　性異常と人間の姿勢と関係はありますか？

答　ある。特に体の伸縮動作、前後動作とは関係深い。

性機能の異常のうち性病関係は、専門医家の問題として述べませんが、整体指導の問題として、早漏、インポテンツ、発育不全、痛み、痙攣、不妊、不感症等について、一応の説明をしておきましょう。

インポテンツの人々は、前屈の姿勢をとりやすく、収縮動作が遅く、尻が下がっているということは共通しております。前屈み姿勢といっても、丁寧に観ると、いろいろあります。ロダンの考える人の如く、手足の末端に力がこもって前屈みしているのは、力が剰《あま》って抑えていると見てよい。勢いを裡《うち》にこめている。ギリシア彫刻の大部分が、動き出そうとする前の、静止の型をとらえているが、これも勢いをもつ前屈みである。前屈みだからインポテンツとはいえません。また、肩だけ前に出ている人があるが、これは過敏状態です。呼吸器病の人に多いが、これは性が欠けているのではなく、つかえている場合が多い。疲れている人も、しばしばこういう形をとる。似ているが勢いが違います。老いると恥骨が前へ出る。顎も前へ出る。前屈みの度が強いため、後屈してバランスを保っているのであって、性萎縮はこういう前屈に現われる。しかも尻が下がっておれば、まさに老いです。収縮動作に鈍くなるから、億劫《おっくう》になり不決断になるのは当然です。

しかし堂々とした体軀の人で、恥骨が突出している人もある。その恰好に惑わされないで、恥骨突出の方を見るべきです。しかし、姿勢を見るにしても姿勢の下にある運動習性を見ねばなりません。体の恰好だけでは性状況は判りません。

しかし、こういう姿勢をしている人が、各動作において踵《かかと》に体重が不断にかかっている場合は、天文学的年齢が若くとも、老いていると見なすべきです。ただし女性の場合は腸骨が開いているから、横から見ると薄い。また、股関節に力がないため捻《ねじ》って動作している。しかも収縮動作が遅いようなら、これまた、老人組と見てよろしい。男の場合は、短兵急に早く終わる習性の人が多い。

また、脚に力のないのも、前屈み姿勢をつくるもとで、脚に気が通っていなければ、性未熟と見なしてよい。現代人の歩行時間が少ないための現象という人もいるが、必ずしもそうではない。歩いて発達したものとは全く違う。未熟な人の歩き方は、気が通らないから、上体に足が引きずられるような、内股筋が伸びない独特な歩き方をしている。外股で、歩幅の狭い、後に力がかかり勝ちな歩き方は、眺めているだけで気になる。男がこういう歩き方をしていたならば、家庭で奥さんに圧迫されている人です。腰から下が急に細く、さむざむしている。女でこういう歩き方をしていたならば、亭主が勝手だと訴える人です。亭主が他所《よそ》で遊び回る不平をいうより、その腰を正すべきです。

近頃は性器を切りとってしまった女でも男もない人が多くなったが、老いの形と運動抑制の型とが重なった特殊な姿勢の動きをしているから、見慣れるとその見分けはむずかしくないが、時々まごつかされることがあります（たとえば性病をもらった人も特殊な姿勢の動きをしています）。腰椎三番にあるべき重心が、腰椎四番または五番に下がり、尻が下がって胴が長く見えるのです。また、欲求不満はしばしば感情抑制型の前屈みをしているが、ともかく性機能が活発でないと、第三腰椎が中心となって動いていないので、姿勢とその動きを見ていれば判ります。

腰に力がないということは不決断とか、行動力不足とかいうのとも関連があり、ただ生理的なことだけではないのであります。何かすることを億劫《おっくう》がる時は、もう機能萎縮が始まっていると申してよいでしょう。集注力の不足とも関連があり、人間の生活行動をも変えることに、注意すべきです。

ともかく、腰の力が足りなくなると、首の力がなくなり、後頭部が萎縮して見える。足の外側に力が入る等は共通しているから、この辺に焦点をおいて観察することです。生理的結婚年齢に達していない人を、天文学的結婚年齢に達したからといって相手に選ぶ不注意は避けられるはずです。

体勢を正す法

問　その体勢を正す方法と、その性に及ぼす効果について話して頂けませんか。

答　一言でいえば、気を充たせば形は自ずから整い、その形の持つ力を発揮する。気が先で、形のことは後です。

女性の不感症の大部分は男の問題であることが多い。とくに男が未熟で性行為を体操と混合しているような場合は、感覚は育たない。その逆もあります。しかし女性自身の生理的鈍さのための不感も、少なくありません。この場合は整体することで正常になります。

こういう生理的な不感状態の人の大部分は男女とも腸骨が開いて下がっている。そして重心位置が第一腰椎にある。次の体操をすればよい。

腸骨を引き締めるために、大の字に仰臥して、踵を約五センチ持ち上げる。そして息を吐きながらそのまま待つ。二呼吸後に徐々に腸骨の幅にまで狭め、ストンと落とす。これを二回行なう。腸骨の幅まで縮めても、腰椎一番に緊張が集まらない時は、日を変えてまたやる。その後で両手を欠伸《あくび》するように上方に伸ばし、第一腰椎に緊張が集まるようにいろいろと動かし、足を上げた時に緊張が集まった部分と重なった時に力を急に抜く。足で腰椎一番に緊張を集められない時はこの方法は行なわない。

これがうまく行なえたら、その後で、恥骨の中央部のかどへ指を当て尻を上げる。息をいっぱいに吸い込んで、吐かないうちにストンと落とす。これで腸骨は上がる。ただし、十種、十二種、一種は駄目。他の体癖の人も個人の特性によって多少変えなければならないが、第一腰椎の緊張を目安に工夫したら、まァ、大丈夫でしょう。うまく行なえたかどうかは、仰臥したまま尻を上げ、第一腰椎に緊張が集まるようだったら効いたと考えてよいでしょう。

ただし女性の場合は、次の方法によるべきであります。仰臥は同じですが、寝台または物の台を仙椎にあてて、この方法を行なう。産む時が最も効果があり、月経終了の時がこれに次ぐ。男性の場合と違って、いつ行なっても効果があるというわけにはいかない。これが女性の体の特徴である。しかし常用の方法としては、肛門を縮め、それを保ちながら尻の筋を押し上げ、放す時に肛門を弛《ゆる》める。ただし、十種の人にはむかない。九種が最もよい。三種は片側に強く、捻りは片側の脚だけ伸ばして行なう。五種は寝そべって読書する恰好をしながらこの方法を行なう。これは不感症の場合に最もよいが、不感症というものは潜在意識的問題が多く占めているから、その面を用いて形だけの行為では不完全である。しかしそういうことを考慮しなくても、なお、この方法は効く。男性のやり方は主としてインポテンツの場合に適う。

人間は第三腰椎に緊張が自然に集まるような動作をつづけられるようなら、性器の機能は大丈夫と見てよろしい。若いのに第一腰椎に動作の中心がある人がいるが、これが早老体勢というものであります。若い人の中にこういう体勢の人をよく見るが、丁寧に観察すると、第五胸椎の可動性が鈍く、かつ圧痛点がある。だいたいこういう第五胸椎異常は耳下腺炎をこじらせた人に現われる。

耳下腺というのは唾液を分泌する腺であるが、近頃は唾液の中に何とかいうホルモンがあることが判り、耳下腺の余病が睾丸炎とか卵巣炎とか寝小便、脱腸等の腰系統の故障が大部分であることを思えば、耳下腺の硬結と不妊症、発育不全とが関連していたとて不思議ではないでしょう。

どうもインポテンツのもとは後頭部のどこかにあるらしい。木村政次郎翁の話では、後頭部をナイフで刺された男が勃起《ぼっき》し、それから死ぬまで保っていたということです。興味をもって、その辺りに愉気《ゆき》してみると、そういう効果がある。井上さんがアメリカへ行く時「俺は淋病というものをもらったことがない。生涯の記念にもらってみたいから、回春操法をしてくれ」と頼みに来ました。年齢をきくと、七十八歳という。無理だと辞退したが、井上さんを連れて来た福原さんが、「俺のだって効果があった。できないことはあるまい」という。しようがないので愉気をしました。その後四カ月経って訪ねて来た井上さんが、「効いたゾ、効いたゾ、効果てきめんだったゾ」といっておられた。本当かお世辞か判らないが、嬉しそうな顔でした。

次々と老人回春のことはかなり頼まれましたが、誰も自分に効果があれば、他人にもあるつもりで連れてくる。しかしこういうことは全く個人的なことで、A氏によかったからB氏にもよいというようにはいきません。木村さんだけはそのことを判ってくれましたが、自分の嬉しいことは他にも知らせる義務があるとか、新聞人らしいことをいっておられた。耳下腺部の硬結と後頭部の愉気というものは、人によっては意外なことをもたらすものです。

しかしここで説こうと思うのは、回春のことでも、老人対象ではなく、結婚したての人の早漏、インポテンツ、不感症等の性機能異常の体の調整法であります。性機能の不備には、後頭部、首、腰への愉気と臀部《でんぶ》の筋を押し上げる操法、また肛門緊《ひき》しめ運動をおすすめします。

問　背骨に気を通そうとして正坐すると、気がつかえて通りませんが、腰を落として丸くなるような姿勢だと気が通ります。正坐しなくても、気を通してよいのでしょうか。

答　その姿勢でよろしい。蛇が直立して気を通そうとしても、とぐろの時と違って、直立していることに気がいってしまうに相違ない。むずかしいでしょう。体を弛《ゆる》めることだけが背骨に気を楽に通します。

性の抑圧と花月操法

ここまでは気の欠乏した場合の問題ですが、欠乏があれば過剰もある。過剰で分散の出口がない。学問とか、運動とかに興味もなく、抑圧してイライラしている場合はむずかしい。それも意識して興奮してくるエネルギーを抑えているなら誰でも判るのですが、意識しないうちに他の働きに昇華するようだと面倒であります。抑えていると首が硬直してくる。弛めようとしても弛まない。いつもイライラし、そのために肩を前に出す。何かやればやりすぎがあり、抑えれば陰鬱になる。人間の非行の大部分はこのためです。スピードの出しすぎ、スト騒ぎ、余分な頑張り、憎しみ等々、過剰や出口不足の人間生活にもたらす影響は大きい。余分に酒を飲むのも、人が嫌がることをやるのもこのためです。

こういう場合には、腸骨を下に落とすような体操をすると一応は落着く。昔はこれを化月操法といっていましたが、月、つまり冷たい石に化けるでは、老いの誘導法であることが誰にでも判ってしまう。そこで草かんむりをつけて、「花月操法」ということにしましたが、更年期の変動はこの方法を行なえば容易に経過します。

その方法は腸骨の中央を掌で叩くことですが、呼吸の間隙に行なわないと、効果を上げることはむずかしいし、自分で行なうことはむずかしい。しかしこれをやると太ります。抑圧のしすぎは痩せます。結婚が遅くなると、二十五、六まではふくよかで太っていた人が、それをすぎると細くなり、収縮して白っぽくなってくる。そういうのが無意識の抑圧がもたらす変動であります。

抑圧の軽いうちは、何かに転換している。たとえばおしゃべりになる。あるいは動作や服装が華美になる。あるいはそれを病気などにすり代える。胃痙攣を起こすとか、心《しん》悸亢進《きこうしん》を起こすとかする。こうなれば抑圧ではない。転換である。転換ができなくなると、もっぱら内攻する。筋は硬くなるし、性質は頑固になる。独り者がそうなることはおかしいことではないが、すでに結婚している人達の中でそういう傾向になっている人達が存外に多いのです。要求は満たされているはずなのに、枯れて固くなってゆく。それは性行為が行なわれても快感がないとか、その他、性の最後の要求が満たされていないためなのでしょう。医者の奥さんで、亭主が往診に出ると喘息を起こす女がいた。この逆に旅行から帰ってくると喘息を起こす女がいた。要求が適《あ》わないのです。結婚以前の問題といえましょう。

しかし人間の好き嫌いも性に起因していることは、考える以上に密接なものであります。このため、首の太い、細い、首の弾力性の強い、弱いというようなことは特に注意して見くらべるべきだと思うのであります。弱い方はいつの間にか、無用のいきみ、無用な気張りを強いられるようになります。

もっと愉快に一生を送れるはずの人が、政治家になってみたり、賭けをやったり、人の嫌がることをワザワザしたり、いつも他人の眼の対象になっていないと不安になる。妙なことをやって気張っていないと相手にかなわないような気がする。肩書きをつけていないと何か不安であるというようになる。ある人の名刺に前××市長とか何とか五つか六つの肩書きをズラリと並べている人がありました。よほど腰が抜けているのだナと思っていたが、訪ねて行って奥さんを見た時、なるほどと思いました。名刺をもらった時の不愉快な感じがなくなって、一挙手一投足、奥さんに抑えつけられているそのコンビがユーモラスに感じられました。こういう場合は、ご主人を逞《たくま》しくすることを考えるよりも、奥さんを少し温和《おとな》しくさせる体操、花月操法を五、六回やっておくと、ご主人が自然にめきめきとよくなってゆく。花月操法も使いようによって面白い効果を上げるが、人生における性のもつ面は広大です。

花月操法、十種体操は老いの促進法で、健康法といえば、若返らせることのように思われがちですが、若返るだけでは丈夫にならないことがたくさんあります。老いの促進法の方が、かえってその人の健康度を高めることが多いのであります。

実際、無用なイライラ、ガミガミいうようなエネルギーを溜めていたってしようがない。ただ花月操法をやって悪い面は、独創的な働きを失うことであります。体の力が足りなくなると、模倣、正確、形式を尊ぶようになる。空想とか、独創とか、自由なものがだんだん影を潜《ひそ》めていく。しかし若いとか老いとかそういう言葉に囚《とら》われないで、その体の必要さによって使いこなすことが大切です。

あとがきに代えて

『整体入門』を出版しましたら、読んだ人が抵抗と感じましたのは、自分で自分の体を正すとか、自分の体は自分で管理せよということに対することでした。多くの人は長い間、病気は他人に治してもらうもの、自分の体の管理は専門家に任せるものという考えに慣らされてきたからでしょう。

体の構造に無知な素人に何ができるかということですが、精子が人間に成育したのは、精子自身がつくったからです。眼も手も胃袋も、体の全部をつくって来たのです。知識が人間をつくったわけではありません。必要なものは栄養とし、不要なものは糞尿とし、毒なものは吐き瀉《くだ》して自分の体をつくって来たのです。インシュリンでもアドレナリンでも、またその他の自家用の薬でも、必要に応じてつくって生きているのです。代用薬を考える前に自家用薬を産み出すことを考え、他人の世話になる前に自分のちからの発揮を心がけるのは当然なことです。

内臓をいくら検査しても、今自分が何を食べたいか、どんなことをしようと考えているかは他人には判りません。脈の乱れは判っても、それが失恋のためか株が下がったためか、隣の奥さんが新しい着物を着たためか判りません。顔に、他人に見えないしみができたために陰鬱になっていた人もありました。

自分の感じの中を確かめ、体の調子を知ることが管理の最初の問題なのだから、他人より自分が主役であるべきです。

また、気のことについてもいろいろ反論がありました。しかし人間の動的原理として、物においてエネルギーを想定していることと同じだと思っていただけばよろしいと思います。これあって人間の行動が明らかになるのです。

［公益社団法人　整体協会］

本部　東京都世田谷区瀬田一―九―七
電話　03（3700）2777・5550

解説　潜在する自己治癒力

伊藤桂一

『野口晴哉・整体入門〈正しい健康を生みだす秘訣〉』（東都書房）の初版が出た時、私は「独自の生命哲学・野口先生の操法と理論」と題して、推薦の一文を草させていただいたが、その中に、つぎのような一節がある。

私は数年前、心身の過労で倒れて以来、自身の体質改善を行うについて、野口先生の操法と理論だけを信じてきた。どう考えても、これ以上の方法があるとは思えなかったからである。むろん私だけではない。ことに社会の有識者ほど、先生の操法・理論をよく理解し共鳴し、それを信奉されているようである。先生の「整体法」は、治病の原理を潜在生命力の喚起に置き、同時にその背景をなす学説が、真に現代の救済につながっている——それ故に識者の心を動かすのであろう。

私は先生のお蔭で得た現在の健康を、自身の使命感のもとに、社会へ還元したいと努めている。それが先生への謝礼であり、先生の治病・指導の理想もそこにある。病気をなおすのではなく、身体をなおすことが先決だ——といわれる先生の論旨が、本書によって多くの方々に頒《わ》けられることは、私にとっても何よりの喜びである。

右の私の考えは、野口先生歿後二十六年を迎えた現在でも、まったく変らない。私は私なりに野口整体法について、考えるところ、経験するところを、深めつづけてきた。日々、活元運動に親しみ、自身の健康の維持につとめ、人生を明るく肯定的に前進してゆく、という整体的生き方を、より堅実に築いてきたのである。

私は、野口先生の「愉気法講座」にしばらく通って、親しく先生の謦咳《けいがい》に接して来たが、先生の生命論は、身近で聞くと、健康に関するエピソードをつぎつぎと風発されて面白い。しかも、ことごとく身の為になる。この本の中にも、随処に先生の語録が出てくるが、とくに「風邪の効用」について述べられているところなどは、健康観を根元的に是正させてしまう説得力がある。整体につながっている人たちは、風邪を引くと「風邪が引けてよかった」と思う。なぜなら風邪は、それを整体的手当で経過させた時、実に爽快で、新たな生命力の充実を感じ、思わず「風邪よありがとう」といってしまうほどだからである。そして、日々の生活と取り組み、疲れは活元運動でほぐしてゆく。ことに偏《かたよ》り疲労を調整してゆく。活元運動は、体操のような随意筋の運動でなく、不随意筋の運動（錐体外路系の脱力運動）である。この運動については、本書では殊《こと》に懇切に説かれている。

整体では「全生」という言葉を信条としている。整体的に生きていれば、死ぬ時も苦しまない、という考え方である。死ぬ時なぜ苦しまないかというと、与えられた生命を完全に燃焼し切れば、苦しむ必要がないからである。死の直前まで、生き生きと仕事ができる。何年も、身体不調で寝込んでしまう、という厄から免《まぬ》かれたいのは人情である。そのため、整体を知っている人は、つとめて整体的な生き方（つまりは死に方）を心掛けている。

この本の中の重要な命題の一つである「体癖論」は、野口先生が終生説きつづけられた、まことに特殊な健康への考え方だと思う。先生は次のようにおっしゃっている。体癖のよく釣り合った男女が結婚すると、両者よりも秀れた子が生まれる。その子が、やはり体癖の似合った相手と結婚すると、さらによい子が生まれる。そうした結婚と出産を積み重ねてゆくと、それによって社会は次第に理想的な人間によって満たされてくる——と。これはもはや、厳粛でロマンチックな、宗教的な祈りをもつ、純粋な生命への讃歌といえるのではないだろうか。先生は、整体的によき子孫をふやしてゆくためには、結婚する者同士の相手への感情問題よりも、体癖が適合するかどうかのほうが優先する、といわれる。この理論はかなり深遠で、生命の意義、性の基本、ひいては教育や、社会環境の向上の問題に及んでゆく。野口整体論の抱懐する思想は、単なる健康論ではない。要するに、野口先生の理念は、どうすれば世の中がよくなるか、という目的に尽きている。

私は今年八十五歳になるが、野口先生は、老人と呼ばれてよい年齢は九十台になってからで、それまでは老人ではない、齢を数えて老い込むな、といわれる。整体は、生命を励ます健康の哲学だからである。この本には、その原理が、わかりやすく説かれている。整体では、治療とか治病とかいう言葉は使われていない。人間は自分の力で自分の症状を癒すので、整体操法者は、その潜在する自己治癒力の喚起を手伝うのである、と。野口先生の衣鉢と伝統を継承し、実践しつつある操法者は堅実な歩みを展開している。ただ、巷間に整体の名を謳う幾多の療術と、野口晴哉先生の整体法とは、よほどの相違のあることは、私のこの小文でも、おわかりいただけるのではないか、と思う。

私は、整体操法のお世話になるとともに、健康の自己管理とその推進のため、四十年間、前述した自分で行う健康法である活元運動を毎日やってきた。どこの病院をみても、待合室は、受診者であふれている。人は、自分自身の持つ治癒力をたよらず、すぐに無条件に病院をたよってしまうのであろう。この書が、一人でも多くの方に、健康への正しい考え方を、開眼させる指針となってもらえれば、と、私は祈ってやまない。

本書は、一九六八年七月、東都書房より刊行され、その後一九七六年七月、講談社より刊行された、『野口晴哉・整体入門』を改題したものです。

整体入門 野口晴哉

日本の東洋医学を代表する著者による初心者向け野口整体のポイント。体の偏りを正す基本の「活元運動」から目的別の運動まで。（伊藤桂一）

風邪の効用 野口晴哉

風邪は自然の健康法である。風邪をうまく経過すれば体の偏りを修復できる。風邪を通して人間の心と体を見つめた、著者代表作。（伊藤桂一）

体癖 野口晴哉

整体の基礎的な体の見方、「体癖」とは？ 人間の体をその構造や感受性の方向によって、12種類に分ける。それぞれの個性を活かす方法とは？（加藤尚宏）

整体から見る気と身体 片山洋次郎

「整体」は体の歪みの矯正ではなく、歪みを活かしてのびのびした体にする。老いや病はプラスにもなる。滔々と流れる生命観。よしもとばなな氏絶賛！

東洋医学セルフケア365日 長谷川淨潤

風邪、肩凝り、腹痛など体の不調を自分でケアできる方法満載。整体、ヨガ、自然療法等に基づく呼吸法、運動等で心身が変わる。索引付。必携！

身体能力を高める「和の所作」 安田登

なぜ能楽師は80歳になっても颯爽と舞うことができるのか？ 「すり足」「新聞パンチ」等のワークで大腰筋を鍛え集中力をつける。（内田樹）

はじめての気功 天野泰司

気功をすると、心と体のゆとりができる。何かがふっと楽になる。のびのびとした活動で自ら健康を創る、はじめての人のための気功入門。（鎌田東二）

居ごこちのよい旅 松浦弥太郎 若木信吾写真

マンハッタン、ヒロ、バークレー、台北……匂いや気配で道を探し、自分だけの地図を描くように歩いてみよう。12の街への旅エッセイ。（若木信吾）

わたしが輝くオージャスの秘密 服部みれい 蓮村誠監修

インドの健康法アーユルヴェーダでオージャスとは生命エネルギーのこと。オージャスを増やして元気で魅力的な自分になろう。モテる！ 願いが叶う！

あたらしい自分になる本 増補版 服部みれい

著者の代表作。心と体が生まれ変わる知恵の数々。文庫化にあたり新たな知恵を追加。冷えとり、アーユルヴェーダ、ホ・オポノポノetc.（辛酸なめ子）

味覚日乗 辰巳芳子

春夏秋冬、季節ごとの恵み香り立つ料理歳時記。日々のあたりまえの食事を、自らの手で生み出す喜びと呼吸を、名文章で綴る。（藤田千恵子）

諸国空想料理店 高山なおみ

注目の料理人の第一エッセイ集。世界各地で出会った料理をもとに空想力を発揮して作ったレシピ。よしもとばなな氏も絶賛。（南椌椌）

ちゃんと食べてる？ 有元葉子

元気に豊かに生きるための料理とは？ 食材や道具の選び方、おいしさを引き出すコツなど、著者の台所の哲学がぎゅっとつまった一冊。（高橋みどり）

買えない味 平松洋子

一晩寝かしたお芋の煮っころがし、土瓶で淹れた番茶、風にあてた干し豚の滋味……日常の中にこそある、おいしさを綴ったエッセイ集。（中島京子）

くいしんぼう 高橋みどり

高望みはしない。ゆでた野菜を盛るくらい。でもごはんはちゃんと炊く。料理する、食べる、それを繰り返す、読んでおいしい生活の基本。（高山なおみ）

昭和の洋食 平成のカフェ飯 阿古真理

小津安二郎『お茶漬の味』から漫画『きのう何食べた？』まで、家庭料理はどのように描かれてきたか。食と家族と社会の変化を読み解く。（上野千鶴子）

色を奏でる 志村ふくみ・文 井上隆雄・写真

色と糸と織――それぞれに思いを深めて織り続ける染織家にして人間国宝の著者の、エッセイと鮮かな写真が織りなす豊醇な世界。オールカラー。

なんたってドーナツ 早川茉莉編

貧しかった時代の手作りおやつ、日曜学校で出合った素敵なお菓子、毎朝宿泊客にドーナツを配るホテル、哲学させる穴……。文庫オリジナル。

玉子ふわふわ 早川茉莉編

国民的な食材の玉子、むきむきで抱きしめたい！ 森茉莉、武田百合子、吉田健一、山本精一、宇江佐真理ら37人が綴る玉子にまつわる悲喜こもごも。

暮しの老いじたく 南和子

老いは突然、坂道を転げ落ちるようにやってくる。その時になってあわてないために今、何ができるか。道具選びや住居など、具体的な50の提案。

考現学入門　今和次郎　藤森照信編
震災復興後の東京で、都市や風俗への観察・採集からはじまった〈考現学〉。その雑学の楽しさを満載し、新編集でここに再現。（藤森照信）

青春と変態　会田誠
著者の芸術活動の最初期にあり、高校生男子の暴発するエネルギーを、日記形式の独白調で綴る変態的青春小説もしくは青春的変態小説。（松蔭浩之）

TOKYO STYLE　都築響一
小さい部屋が、わが宇宙。ごちゃごちゃと、しかし快適に暮らす、僕らの本当のトウキョウ・スタイルはこんなものだ！　話題の写真集文庫化！

既にそこにあるもの　大竹伸朗
画家、大竹伸朗「作品への得体の知れない衝動」を伝える20年間のエッセイ。文庫では新作を含む木版画、未発表エッセイ多数収録。（森山大道）

たましいの場所　早川義夫
「恋をしていいのだ。今を歌っていくのだ」。心を揺るがす本質的な言葉。文庫用に最終章を追加。帯文＝宮藤官九郎　オマージュエッセイ＝七尾旅人

ぼくは本屋のおやじさん　早川義夫
22年間の書店としての苦労と、お客さんとの交流。どこにもありそうで、ない書店。30年来のロングセラー！（大槻ケンヂ）

日本フォーク私的大全　なぎら健壱
熱い時代だった。新しい歌が生まれようとしていた。日本のフォーク――その現場に飛び込んだ著者ならではの克明で実感的な記録。（黒沢進）

バーボン・ストリート・ブルース　高田渡
流行に迎合せず、グラス片手に飄々とうたい続け、いぶし銀のような輝きを放ちつつ逝った高田渡の酔いどれ人生、ここにあり。（スズキコージ）

自然のレッスン　北山耕平
自分の生活の中に自然を蘇らせる、心と体と食べ物のレッスン。自分の生き方を見つめ直すための詩的な言葉たち。帯文＝服部みれい（曽我部恵一）

コーヒーと恋愛　獅子文六
恋愛は甘くてほろ苦い。とある男女が巻き起こす恋模様をコミカルに描く昭和の傑作が、現代の「東京」によみがえる。（曽我部恵一）

幕末単身赴任 下級武士の食日記 増補版　青木直己

きな臭い世情なんてなんのその、単身赴任でやってきた勤番侍が幕末江戸の〈食〉を大満喫！ 残された日記から当時の江戸のグルメと観光を紙上再現。

神国日本のトンデモ決戦生活　早川タダノリ

これが総力戦だ！ 雑誌や広告を覆い尽くしたプロパガンダの数々が浮かび上がらせる戦時下日本のリアルな姿。関連図版をカラーで多数収録。

誰も調べなかった日本文化史　パオロ・マッツァリーノ

土下座のカジュアル化、先生という敬称の由来、全国紙一面の広告。――イタリア人(自称)戯作者が、資料と統計で発見した知られざる日本の姿。

建築探偵の冒険・東京篇　藤森照信

街を歩きまわり、古い建物、変わった建物を発見し調査する〝東京建築探偵団〟の主唱者による、建築をめぐる不思議で面白い話の数々。（山下洋輔）

鉄道エッセイコレクション　芦原伸編

本を携えて鉄道旅に出よう！ 文豪、車掌、音楽家――、生粋の鉄道好き20人が愛を込めて書いた「鉄分100%」のエッセイ／短篇アンソロジー。

ヨーロッパぶらりぶらり　山下清

「パンツをはかない男の像はにが手」「人魚のおしりは人間か魚かわからない」。〝裸の大将〟の眼に映ったヨーロッパは？ 細密画入り。（赤瀬川原平）

坂本九ものがたり　永六輔

名曲「上を向いて歩こう」の永六輔・中村八大・坂本九が歩んだ戦中戦後、そして3人が出会ったテレビ草創期。歌に託した思いとは。（佐藤剛）

日々談笑　小沢昭一

話芸の達人の、芸が詰まった一冊。柳家小三治と佐渡の芸能話、網野善彦と陰陽師や猿芝居の話、清川虹子と喜劇話……多士済々17人との対談集。

おかしな男 渥美清　小林信彦

芝居や映画をよく観る勉強家の彼と喜劇マニアのぼく。映画「男はつらいよ」の〈寅さん〉になる前の若き日の渥美清の姿を愛情こめて綴った人物伝。（中野翠）

ウルトラマン誕生　実相寺昭雄

オタク文化の最高峰、ウルトラマンが初めて放送されてから40年。創造の秘密に迫る。スタッフたちの心意気、撮影所の雰囲気をいきいきと描く。

脇役本 濱田研吾

映画や舞台のバイプレイヤー七十数名が書いた本、関連書などを一挙紹介。それら脇役本が教えてくれる秘話満載。古本ファンにも必読。（出久根達郎）

時代劇 役者昔ばなし 能村庸一

「鬼平犯科帳」「剣客商売」を手がけたテレビ時代劇名プロデューサーによる時代劇役者列伝。春日太一氏との語り下ろし対談を収録。文庫オリジナル。

東京酒場漂流記 なぎら健壱

異色のフォーク・シンガーが達意の文章で綴るおかしくも哀しい酒場めぐり。薄暮の酒場に集う人々との無言の会話、酒、肴。（高田文夫）

旅情酒場をゆく 井上理津子

ドキドキしながら入る居酒屋。心が落ち着く静かな店も、常連に囲まれ地元の人情に触れた店も、それもこれも旅の楽しみ。酒場ルポの傑作！

満腹どんぶりアンソロジー
お〜い、丼《どん》 ちくま文庫編集部編

天丼、カツ丼、牛丼、海鮮丼に鰻丼。こだわりの食べ方、懐かしい味から思いもよらぬ珍丼まで作家・著名人の「丼愛」が迸る名エッセイ50篇。

ひりひり賭け事アンソロジー
わかっちゃいるけど、ギャンブル！ ちくま文庫編集部編

勝てば天国、負けたら地獄。麻雀、競馬から花札や手本引きまで、ギャンブルに魅せられた作家たちの名エッセイを集めたオリジナルアンソロジー。

赤線跡を歩く 木村聡

戦後まもなく特殊飲食店街として形成された赤線地帯。その後十余年、都市空間を彩ったその宝石のような建築物と街並みの今を記録した写真集。

異界を旅する能 安田登

「能」は、旅する「ワキ」と、幽霊や精霊である「シテ」の出会いから始まる。そして、リセットが鍵となる日本文化を解き明かす。（松岡正剛）

老人力 赤瀬川原平

20世紀末、日本中を脱力させた名著『老人力』と『老人力②』が、あわせて文庫に！　ぼけ、ヨイヨイ、もうろくに潜むパワーがここに結集する。

裸はいつから恥ずかしくなったか 中野明

幕末、訪日した外国人は混浴の公衆浴場に驚いた。日本人が裸に対して羞恥心や性的関心を持ったのはいつなのか。「裸体」で読み解く日本近代史。

品切れの際はご容赦ください

これで古典がよくわかる　橋本治

古典文学に親しめず、興味を持てない人たちは少なくない。どうすれば古典が「わかる」ようになるかを具体例を挙げ、教授する最良の入門書。

百人一首　鈴木日出男

王朝和歌の精髄、百人一首を第一人者が易しく解説。現代語訳、鑑賞、作者紹介、語句・技法を見開きにコンパクトにまとめた最良の入門書。

恋する伊勢物語　俵万智

恋愛のパターンは今も昔も変わらない。恋がいっぱいの歌物語の世界に案内する、ロマンチックでユーモラスな古典エッセイ。（武藤康史）

つらい時、いつも古典に救われた　清川妙　早川茉莉編

万葉集、枕草子、徒然草、百人一首などに学ぶ、前向きにしなやかに生きていくためのヒント。古典講座の人気講師による古典エッセイ。（早川茉莉）

ギリシア神話　串田孫一

ゼウスやエロス、プシュケやアプロディテなど、人間くさい神々をめぐる複雑なドラマを、わかりやすく綴った若い人たちへの入門書。

タオ——老子　加島祥造

さりげない詩句で語られる宇宙の神秘と人間の生きるべき大道とは？　時空を超えて新たに甦る『老子道徳経』全81章の全訳創造詩。待望の文庫版！

学校って何だろう　苅谷剛彦

「なぜ勉強しなければいけないの？」「校則って必要なの？」等、これまでの常識を問いなおし、学ぶ意味を再び摑むための基本図書。（小山内美江子）

サヨナラ、学校化社会　上野千鶴子

東大に来て驚いた。現在を未来のための手段とし、偏差値一本で評価を求める若者。ここからどう脱却する？　丁々発止の議論満載。（北田暁大）

よいこの君主論　架神恭介　辰巳一世

戦略論の古典的名著、マキャベリの『君主論』が、小学校のクラス制覇を題材に楽しく学べます。学校、職場、国家の覇権争いに最適のマニュアル。

自分のなかに歴史をよむ　阿部謹也

キリスト教に彩られたヨーロッパ中世社会の研究で知られる著者が、その学問的来歴をたどり直すことを通して描く〈歴史学入門〉。（山内進）

ひとはなぜ服を着るのか　鷲田清一

ファッションやモードを素材として、アイデンティティや自分らしさの問題を現象学的視線で分析する。「鷲田ファッション学」のスタンダード・テキスト。

9条どうでしょう　内田樹／小田嶋隆／平川克美／町山智浩

「改憲論議」の閉塞状態を打ち破るには、「虎の尾を踏むのを恐れない」言葉の力が必要である。四人の書き手によるユニークな洞察が満載の憲法論！

山頭火句集　種田山頭火　村上護編　小崎侃・画

自選句集「草木塔」を中心に、その境涯を象徴する随筆も精選収録し、〝行乞流転〟の俳人の全容を伝える一巻選集！　（村上護）

尾崎放哉全句集　村上護編

「咳をしても一人」などの感銘深い句で名高い自由律の俳人・放哉。放浪の旅の果て、小豆島で破滅型の人生を終えるまでの全句業。　（村上護）

倚りかからず　茨木のり子

もはや／いかなる権威にも倚りかかりたくはない……話題の単行本に3篇の詩を加え、高瀬省三氏の絵を添えて贈る決定版詩集。　（山根基世）

かんたん短歌の作り方　枡野浩一

自分の考えをいつもの言葉遣いで分かりやすく表現する――それがかんたん短歌。でも簡単じゃない！（佐々木あらら）

詩ってなんだろう　谷川俊太郎

谷川さんはどう考えているのだろう。その道筋にそって詩を集め、選び、配列し、詩とは何かを考えるおおもとを示しました。　（華恵）

事物はじまりの物語／旅行鞄のなか　吉村昭

長篇小説の取材で知り得た貴重な出来事に端を発した物語の数々。胃カメラなどを考案したパイオニアたちの話と旅先での事柄を綴ったエッセイ集の合本。

夏目漱石を読む　吉本隆明

主題を追求する「暗い」漱石と愛される「国民作家」をつなぐ資質の問題とは？　平明で卓抜な漱石講義十二講。第2回小林秀雄賞受賞。　（関川夏央）

英単語記憶術　岩田一男

単語を構成する語源を捉えることで、語の成り立ちを理解することを説き、丸暗記では得られない体系的な英単語習得を提案する50年前の名著復刊。

吉行淳之介ベスト・エッセイ　吉行淳之介　荻原魚雷編

創作の秘密から、ダンディズムの条件まで。「文学」「男と女」「紳士」「人物」のテーマごとに厳選した、吉行淳之介の入門書にして決定版。（大竹聡）

田中小実昌ベスト・エッセイ　田中小実昌　大庭萱朗編

東大哲学科を中退し、バーテン、香具師などを転々とし、飄々とした作風とミステリー翻訳で知られるコミさんの厳選されたエッセイ集。（片岡義男）

山口瞳ベスト・エッセイ　小玉武編

サラリーマン処世術から飲食、幸福と死まで。——幅広い話題の中に普遍的な人間観察眼が光る山口瞳の豊饒なエッセイ世界を一冊に凝縮した決定版。

色川武大・阿佐田哲也ベスト・エッセイ　色川武大／阿佐田哲也　大庭萱朗編

二つの名前を持つ作家のベスト。文学論、落語からタモリまでの芸能論、ジャズ、作家たちとの交流も。もちろん阿佐田哲也名の博打論も収録。（木村紅美）

開高健ベスト・エッセイ　開高健　小玉武編

文学から食、ヴェトナム戦争まで——おそるべき博覧強記と行動力。「生きて、書いて、ぶつかった」開高健の広大な世界を凝縮したエッセイを精選。

中島らもエッセイ・コレクション　中島らも　小堀純編

小説家、戯曲家、ミュージシャンなど幅広い活躍で没後なお人気の中島らもの魅力を凝縮！　酒と文学とエンターテインメント。（いとうせいこう）

文房具56話　串田孫一

使う者の心をときめかせる文房具。どうすればこの小さな道具が創造力の源泉になりうるのか。文房具の想い出や新たな発見、工夫や悦びを語る。

ぼくは散歩と雑学がすき　植草甚一

１９７０年、遠かったアメリカ。その風俗、映画、本、音楽から政治までをフレッシュな感性と膨大な知識、貪欲な好奇心で描き出す代表エッセイ集。

快楽としてのミステリー　丸谷才一

ホームズ、００７、マーロウ——探偵小説を愛読して半世紀、その楽しみを文芸批評とゴシップを駆使して自在に語る、文庫オリジナル。（三浦雅士）

超発明　真鍋博

昭和を代表する天才イラストレーターが、唯一無二のＳＦ的想像力と未来的発想で〝夢のような発明品〟１２９例を描き出す幻の作品集。（川田十夢）

ねぼけ人生〈新装版〉　水木しげる
戦争で片腕を喪失、紙芝居・貸本漫画の時代と、波瀾万丈の人生を、楽天的に生きぬいてきた水木しげるの、面白くも哀しい半生記。（呉智英）

「下り坂」繁盛記　嵐山光三郎
人の一生は、「下り坂」をどう楽しむかにかかっている。真の喜びや快感は「下り坂」にあるのだ。あちこちにガタがきても、愉快な毎日が待っている。

向田邦子との二十年　久世光彦
あの人は、あり過ぎるくらいあった始末におえない胸の中のものを誰にだって、一言も口にしない人だった。時を共有した二人の世界。（新井信）

旅に出る　ゴトゴト揺られて本と酒　椎名誠
旅の読書は、漂流モノと無人島モノと一点こだわりガンコ本！　本と旅とそれから派生していく自由な思いのつまったエッセイ集。（竹田聡一郎）

昭和三十年代の匂い　岡崎武志
テレビ購入、不二家、空地に土管、トロリーバス、くみとり便所、少年時代の昭和三十年代の記憶をたどる。巻末に岡田斗司夫氏との対談を収録。

本と怠け者　荻原魚雷
日々の暮らしと古本を語り、古書に独特の輝きを与えた「ちくま」好評連載「魚雷の眼」を、一冊にまとめた文庫オリジナルエッセイ集。（岡崎武志）

増補版　誤植読本　高橋輝次編著
本と誤植は切っても切れない!?　恥ずかしい打ち明け話や、校正をめぐるあれこれなど、作家たちが本音を語り出す。作品42篇収録。（堀江敏幸）

わたしの小さな古本屋　田中美穂
会社を辞めた日、古本屋になることを決めた。倉敷の空気、古書がつなぐ人の縁、店の生きものたち……。女性店主が綴る蟲文庫の日々。（早川義夫）

ぼくは本屋のおやじさん　早川義夫
22年間の書店としての苦労と、お客さんとの交流。どこにもありそうで、ない書店。30年来のロングセラー！（大槻ケンヂ）

たましいの場所　早川義夫
「恋をしていいのだ。今を歌っていくのだ」。心を揺るがす本質的な言葉。文庫用に最終章を追加。帯文＝宮藤官九郎　オマージュエッセイ＝七尾旅人

ちくま文庫

整体入門《せいたいにゅうもん》

二〇〇二年六月十日　第一刷発行
二〇二一年九月五日　第四十一刷発行

著者　野口晴哉（のぐち・はるちか）
発行者　喜入冬子
発行所　株式会社　筑摩書房
東京都台東区蔵前二―五―三　〒一一一―八七五五
電話番号　〇三―五六八七―二六〇一（代表）
装幀者　安野光雅
印刷所　株式会社精興社
製本所　株式会社積信堂

ISBN4-480-03706-3 C0147